PROMENÂD
Y GWENOLIAID

GARETH W. WILLIAMS

Gomer

Diolch i Clwyd Jones ac Ann Lewis am eu cyngor
ac i Susan Roberts fy ngolygydd amyneddgar
ac i Glwb Darllen Caerffili am feirniadaeth a chefnogaeth.

Cyhoeddwyd gyntaf yn 2019 gan
Wasg Gomer, Llandysul, Ceredigion SA44 4JL
www.gomer.co.uk

ISBN 978 1 78562 304 2

Cyhoeddwyd gyda chymorth ariannol
Cyngor Llyfrau Cymru.

Argraffwyd a rhwymwyd yng Nghymru gan
Wasg Gomer, Llandysul, Ceredigion.

Cyflwynedig i'r hen ffrindiau sy'n
mynychu'r 'cyfarfod blynyddol' yn y dafarn
ger pont y rheilffordd yn y Rhyl.

Nodyn gan yr awdur

Mae'r stori hon yn cael ei hadrodd trwy lygaid un person sy bellach yn hŷn ac mae elfen hunangofiannol gref i'r naratif. Mae hi'n nofel dywyll ond gyda sawl llygedyn o hiwmor i wrthgyferbynnu â'r tywyllwch. Os oeddech chi'n fyw yn '69 bydd llawer o atgofion; os nad oeddech chi, mwynhewch beth bynnag.

Dechrau

Roeddwn i'n adnabod Alfie ers dyddiau ysgol. Galw bingo oedd ei waith yn ystod yr haf ac roedd ei sgìl wrth y meic i ddenu cwsmeriaid yn amhrisiadwy i Joe, perchennog y neuadd peiriannau slot tua hanner ffordd ar hyd y rhesaid o arcêds cyffelyb oedd ar y prom. Roedd rhagolygon busnes haf 1969 yn edrych yn ffafriol, hyd yn oed os nad oedd yr haul bob amser yn tywynnu ar 'Sunny Rhyl'. Roedd Mexico Joe's yn dipyn o ffefryn gan gwsmeriaid, ac Alfie a'i hiwmor chwimwth yn rhan sylweddol o boblogrwydd y gemau bingo yno. Eisteddai'r chwaraewyr i gyd o amgylch pulpud Alfie tra codai'r peli fesul un a chyhoeddi'r rhifau.

'Two little ducks – 22, two fat ladies – 88, unlucky for some – 14, I told you it was unlucky, didn't I,' oedd ei hoff dric. A byddai'n rhaid i'r rhai oedd wedi gorchuddio rhif 13 ar y byrddau bingo pwrpasol yn rhy gyflym ddadorchuddio'r rhif ag ochenaid. Arhosai sawl un am oriau er mwyn ennill tedi neu set o lestri te ddigon rhad yr olwg a gadael yn orchestol wedyn wedi talu beth oedd yn cyfateb i grocbris amdani. Roedd y gwobrau disglair yn gefndir i bulpud Alfie.

Wedi bod yn gweithio fel prif stiward ar leinars P&O oedd Joe. Hogyn o Betws-yn-Rhos yn wreiddiol ac wedi penderfynu mynd i'r môr. Tra oedd yn gweithio ar un o'r llongau, cwrddodd â Consuela, dawnswraig, yn dipyn o bishyn yn ei dydd, yn ôl pob sôn, o Tijuana ym Mecsico. Roedd Alfie bob amser yn dweud nad oedd ei llunieidd-dra wedi ei gadael; er bod ei gwallt yn britho, ond fyddai o byth wedi meiddio dweud hynny wrth Joe. Priododd y ddau a mynd yn ôl i ddinas ei mebyd, ac yno y buon nhw am ryw saith mlynedd. Fu dim plant. Clwyd Owen Jones oedd ei enw iawn, enw oedd yn destun hwyl yn Tijuana gan fod C. O. Jones yn cyfateb i *cojones*, sef ceilliau mawr mewn

Sbaeneg, ond gair sydd hefyd yn gyfystyr â gwroldeb. Daeth ei enw'n ddefnyddiol iawn iddo yn yr yrfa ddewisodd iddo'i hun tra oedd yn byw yno.

Roedd Joe yn ddyn o gorffolaeth sylweddol, yn godwr pwysau, yn bêl-droediwr o safon ac yn dipyn o athletwr. Gan fod cymaint o fri ar reslo ym Mecsico, cafodd hyfforddiant a gwaith yn ddigon hawdd, a daeth llawer iawn o *pesos* yn ei sgil a bri i Cojones Celtica.

Daeth awydd ar Joe i ddod yn ôl i fro ei febyd yntau, â reslo yn ei anterth yn y chwedegau: Kent Walton yn sylwebu a Jackie Pallo, Mick McManus, Billy Two Rivers ac El Bandito yn sêr y sgrin fach. Felly, daeth ef a Consuela i fyw yn y Rhyl. Bu Joe wrthi am gyfnod yn ymaflyd yng ngornestau reslo Theatr y Gaiety ar y prom ac mewn neuaddau yng ngogledd Lloegr, a gwelwyd ef ambell dro ar y teledu. Ei lysenw oedd Mexico Joe, a chamai i'r cylch gyda'i *poncho*, ei sombrero, ei chwip a'i fwstás Lladinaidd. Ychydig wyddai neb mai hogyn o Betws-yn-Rhos oedd yn ymaflyd o'u blaenau. Daeth diwedd i'w yrfa, yn ôl y sôn, ar ôl codwm a dorrodd un o'i asennau. Penderfynodd mai digon oedd digon ac nad oedd yn mynd yn ddim iau. Consuela oedd wedi rhoi ei throed i lawr, yn ôl Alfie. Ond roedd Mexico Joe yn dal yn dipyn o seléb rownd y dref, er bod ei fri yn dechrau pylu. Gwelid ef yn aml o gwmpas y lle ar ei Harley-Davidson a'i het cowboi'n cywhwfan yn y gwynt (doedd helmedau ddim yn orfodol ym 1969), a'r stydiau ar gefn ei siaced ledr yn cyhoeddi mai Mexico Joe oedd newydd fynd heibio'n swnllyd, os nad oedd rhywun eisoes yn gwybod. Roedd o'n dipyn o arwr hefyd i fois beics y dref: hwythau ar eu Nortons a'u BSAs ac yntau ar feic egsotig o dros y dŵr. Byddai yn eu mysg yn y Dudley ambell waith – Joe oedd eu 'Wild One'.

Ar ôl y codwm penderfynodd fuddsoddi mewn arcêd ar y prom. Roedd y thema reslo yn amlwg o hyd, gyda cherflun mawr plastig ohono â thatŵ o dorch Geltaidd am ei wddw a'i lifrai reslo amdano'n ymwthio o'r wal uwchben y gamblwyr oll.

Doedd yr artist a'i lluniodd ddim wedi cael yr wyneb yn iawn ond roedd yn ddigon agos.

Hon oedd ail flwyddyn Alfie, oedd wedi datblygu'n fwy o fab nag o weithiwr i'r cwpwl di-blant. Roedd Joe yn falch o gael ymarfer ei Gymraeg. Teimlai mai go glapiog oedd ei grap ar yr iaith ar ôl byw cyhyd dros y dŵr, ond chlywai Alfie ddim o'i le ar ei Gymraeg, er bod ambell dinc Sbaenaidd.

Newydd ddod i'w waith oedd Alfie y bore tyngedfennol hwnnw ac wrthi'n tacluso'r teganau o amgylch ei bulpud pan ddaethon nhw i mewn – un gŵr bychan a dau slaff o foi i'w ganlyn.

Pennod 1

Rhyw le sgitsoffrenaidd fu'r Rhyl erioed, dwy ochr i'r tracs, bron yn llythrennol, â'r rheilffordd yn rhannu'r dref yn ddwy. Ar un ochr hyd heddiw mae'r diwydiant gwyliau ar lan y môr ac ar y llall mae byngalos wedi tyfu fel madarch. Cartrefi i bensiynwyr ydy'r rhan fwyaf o'r rheini, nifer ohonyn nhw wedi bod ar eu gwyliau yn y dref o Loegr ac wedi penderfynu ymddeol yno. Roedd eraill wedi dod o bentrefi mwy Cymreigaidd ac ym 1969 roedd y Rhyl, yn groes i'r dyb gyffredin, yn dal yn eithaf Cymraeg ei hiaith, ar ochr byngalos y trac o leiaf, gyda'r capeli yn dal eu tir. Mae rhaniad arall, sef Vale Road, sy'n rhannu'r dref yn bedwar chwarter, ac ar ochr y prom o'r trac mae'r East a'r West Parade. Yn y chwedegau roedd yr hyn oedd ar ôl o'r pier yn nodi'r rhaniad yn daclus hefyd. Roedd yr East Parade yn ystyried ei hun yn dipyn mwy sidêt na'r West. Yn yr East, tuag at Splash Point, roedd gwestai moethus fel y Morville a'r Westminster ac atyniadau fel y pwll nofio, y lawntiau bowls a'r Floral Hall. Ond yn y West roedd y Palace Hotel â'i glwb nos, y Dixieland Showbar, y ffair a'r Marine Lake, y cyfan ar ddiwedd rhesaid o arcêds, caffis a siopau *chips* yn cystadlu i ddenu ceiniogau prin yr ymwelwyr a heidiai i'r Rhyl bob haf. Doedden nhw heb glywed eto am Torremolinos a Benidorm. Roedden nhw'n ddigon hapus i balu'r tywod pan oedd hi'n hindda a loetran rhwng Ucancominandavesomefun ar un pen, ger Woolworths, a'r Slot Palace ar y pen arall, ger y ffair, pan oedd hi'n glawio. Roedd sioeau yn y Pavilion o hyd, er bod y lle yn mynd a'i ben iddo braidd ac wedi gweld dyddiau gwell. Bingo, cwrw, *chips* a chandi-fflos ddaeth ag enw da i'r Rhyl.

Dôi'r ymwelwyr, neu'r pyntars fel y galwen ni nhw, o Widnes a Warrington, Stoke a Sheffield, Lerpwl a Manceinion. Dôi rhai o mor bell â Glasgow. Byddai bysys Yorkshire Traction, Ribble a Salopian yn drwch ym meysydd parcio'r Marine Lake. Fel llawer o dripiau ysgol Sul o dros ogledd Cymru dôi rhai am y diwrnod, ond treuliai miloedd wythnos eu gwyliau haf naill ai mewn carafán yn un o'r meysydd carafannau oedd fel dwy adain yn lledu bob ochr i'r dref, neu yn un o'r fflatiau gwyliau ar strydoedd ag enwau crand fel Sandringham Avenue a Balmoral Grove. Yn ôl pob sôn, doedd yna fawr ddim byd yn grand am y fflatiau. Mae beth ddigwyddodd i'r fflatiau hynny wedi i'r ymwelwyr beidio â dod yn stori arall, ond yn y chwedegau roedd arian i'w wneud a phawb am ddarn o'r deisen.

Rhywbeth oedd yn digwydd 'draw fan acw' oedd bwrlwm y ffair i'r rhelyw o drigolion parhaol y Rhyl yn cynnwys ni, blant y cyfnod, tan i ni sylweddoli bod cildwrn go hael i'w gael o gludo bagiau teithwyr o'r orsaf bysiau neu'r orsaf drenau. 'Carry your bags for yer?' holem, ac wedi cael ymateb ffafriol, byddem yn llwytho'r bagiau ar drol, oedd gan amlaf yn addasiad o hen bram, a thywys y teithwyr diolchgar i'w llety ac aros yn ddisgwylgar am y wobr a haeddai ein hymdrechion wedyn. Roedd yn gyflwyniad cynnar i'r byd mawr y tu allan i Gymdeithas yr Angor, y Cymmrodorion, yr Aelwyd a'r capel. Pan oedden ni'n dipyn hŷn, ond fawr callach efallai, byddai gwaith haf yn gyflwyniad helaethach.

Pedair ar bymtheg oeddwn i ar y pryd, yn gweithio fel gyrrwr fan i Rhyl Ents ar ôl dychwelyd o'r brifysgol am wyliau haf. Penderfynais gael hoe o fod yn gondyctar ar y Crosville. Doedd yr arian ddim cystal ond roedd rhyddid o'r shifftiau llafurus yn falm. Roedd grantiau i'w cael bryd hynny. Doedd fy mhen i ddim yn y lle iawn, ar ôl gorffen â nghariad hir-dymor, i fynd i fwrlwm byd y bysys, a byddai'n rhoi gwell cyfle i mi chwilio am un arall. Digon naïf am y byd oeddwn i wrth feddwl yn ôl, ond roeddwn i'n chwilfrydig i wneud synnwyr o'r realiti newydd roeddwn i'n ei ddarganfod yn ddyddiol. Bydden ni, fyfyrwyr, yn dod yn ôl bob haf fel gwenoliaid o'n colegau i ddiwallu'r angen dybryd am weithwyr yn y dref ar ôl dechrau tymor y gwyliau â'r cynnydd anferth yn y boblogaeth. Oedd, roedd arian i'w wneud yn y Rhyl.

Yn nhafarn y Vic roedden ni'n cyfarfod: Alfie, Guto, oedd ar y bysys, Delyth, oedd â job go iawn wedi graddio mewn Saesneg o Brifysgol Lerpwl ac yn gweithio i'r *Rhyl Journal*, a fi. Roedd ambell ddihiryn arall yn dod i mewn ac allan, ond ni oedd y cnewyllyn. Grŵp od, gynt o'r un ysgol, wedi gwahanu i bedwar ban a dychwelyd, ac yn falch o gwmni ein gilydd. Sylweddolais i ddim faint mwy y byddwn i'n wybod am y byd erbyn diwedd yr haf hwnnw ond roeddwn i'n barod ac yn awyddus i ddysgu.

Roedd pobl ifanc yn perthyn i amryw garfanau yr adeg honno, a'r *skinheads/suedeheads*, y *greasers* neu'r hipis oedd y rhai amlycaf. I gyfeiriad y garfan olaf roedden ni'n tueddu. Cafodd Dennis Hopper a Peter Fonda ddylanwad mawr arnon ni yn *Easy Rider*. Roedd ein gwalltiau ni'n hir; jîns llydan a chrys T oedd yr iwnifform, a chantorion ein hanthemau ni, bobol ifanc drefol, oedd y Doors a Neil Young yn hytrach na'r Diliau a Hogia'r Wyddfa, er bod Meic Stevens yn cael derbyniad ffafriol. 'Peace, love and good vibes' oedd ein harwyddair. Cofiwch, welais i ddim hanner digon o'r 'free love' roedd pawb yn ei addo yn y cyfnod. Cymraeg oedd ein hiaith, er ein bod wedi troi yn ei herbyn yn nyddiau ysgol. Roedd y sefydliad yn dweud wrthon ni y dylen ni siarad Cymraeg ac roedd gwrthryfela yn erbyn y sefydliad yn trendi, ac felly troi at y Saesneg wnaethon ni. Daeth protestiadau Cymdeithas yr Iaith ac yn sydyn roedd Cymraeg yn secsi eto. Doedden ni ddim yn hollol siŵr pa sefydliad i wrthryfela yn ei erbyn ond, hei ho, fe droesom yn ôl at ein mamiaith. Roedden ni i gyd yn dal i fynd i'r capel ar fore Sul, i blesio mamau a thadau yn hytrach nag oherwydd rhyw angerdd crefyddol. Cwrw yn hytrach nag LSD a chanabis oedd ein cyffur o ddewis, er mod i'n siŵr i Delyth ymhél rhywfaint â nhw tra oedd hi'n byw yn Lerpwl.

Roedden ni ill tri o fechgyn yn ei ffansïo hi fel tân, ond doedd yr un ohonon ni'n teimlo'n ddigon o foi i wneud dim am y peth. Roedd hi'n yfflon o hogan smart, ac yn gwisgo'n smart hefyd; wel, mi oedd raid iddi efo job 'coler wen', er bod ambell awgrym o hyd yn ei gwisg o'r hipi a fu. Wedi'r cwbwl, mi oedd hi dipyn bach yn hŷn na ni hefyd ac mi allai cael ein gwrthod ddinistrio ein perthynas fel cyfeillion am byth. Ac felly, fel un o'r bois roedden ni'n ei thrin hi er ei gwallt hir, melyngoch a phâr o goesau oedd yn gwneud i ni, feidrolion, lafoerio. Roedd hi'n 'smart' yn ei phen hefyd, yn ddeallus ar y diawl, yn gallu mynd i graidd rhywbeth yn syth bìn. Mi allai hi dorri at yr asgwrn â'i thafod ac roedd edrychiad yn ddigon weithiau i wneud rhywun yn ymwybodol ei fod o wedi dweud rhywbeth twp ac y dylai gau ei ben. Ddim ein bod ni'n methu tynnu ei choes, ond os gwnaen ni roedd ganddi ymateb sydyn, deifiol, oedd yn aml yn ddoniol.

'Wedi bod yn ymdrin â materion mawr y fro?' holais un diwrnod.

'Fel be?' meddai hi.

'Man loses dog in Abergele?' Chwarddodd pawb.

'Wythnos dwetha oedd hynne. *Headline* newydd wsnos yma,' atebodd hi mewn fflach. 'Dog found, collar missing.' Chwarddodd pawb fwy. 'Dy rownd di,' ychwanegodd hi â gwên fuddugoliaethus.

Tipyn o hogan!

Un dipyn tawelach oedd Guto, neu GT fel roedden ni'n ei alw fo. Roedd elfen o eironi yn hynny. Roedd yn ddwfn fel Llyn Tegid ac yn bwyllog ei feddwl. Athroniaeth oedd ei bwnc, ac athronyddol ei natur. Os dôi sylw ganddo, roedd hi'n werth gwrando. Hogyn heglog, tal â mwstás Fu Manchu oedd o, a ddim y creadur mwyaf addas i fod yn gondyctar yn hwrli bwrli bysys y prom. Os methai gasglu arian ambell deithiwr, codai ei ysgwyddau. 'Dim ond poeni am yr hyn sydd raid,' oedd ei ymateb. Athronyddol hyd y diwedd.

Ac wedyn roedd Alfie, myfyriwr economeg yn Lancaster fyddai'n debycach o fod ar lwyfan nag mewn swyddfa, yn nhyb pawb. Un bach o gorffolaeth ond yn finiog ei feddwl. Bu farw ei dad flwyddyn ynghynt o lwch glo'r Parlwr Du, ac roedd ei fam yn dibynnu'n go drwm arno. Doedd o ddim yn y Vic pan gyrhaeddon ni y nos Wener honno ym mis Mehefin. Fel arfer, mi oedden ni'n cyfarfod i'n 'seiat' am wyth. Roedd hi'n hanner awr wedi wyth pan gyrhaeddodd o, a doedd o ddim yn ei hwyliau arferol. Roedd 'Get Back' y Beatles ar y jiwcbocs. Dw i'n cofio gan i ni i gyd ganu 'Get back to where you once belonged,' pan ddaeth Alfie i mewn. Ddaeth ei wên arferol ddim i'w wyneb.

'Ti'n dawel iawn heno,' medde fi.

'Hm …'

'Be sy?'

'Fedra i ddim dweud.'

'Pam?'

'Dw i 'di addo.'

'Addo be?'

'Peidio deud.'

'Fedri di ddeud wrthon ni. Eith o ddim pellach.'

'O, bygro fo, mae rhaid i mi ddeud wrth rywun.' Roedden ni'n glustiau i gyd. Dechreuodd Alfie ar ei druth. 'Mi oeddwn i newydd gyrraedd yr arcêd ac yn sortio stwff tu ôl i'r panels bingo, fel dw i'n neud bob bore. Gosod stwff newydd lle oedd yna fylchau a bellu.'

'Ia, ia, tyrd at y pwynt,' meddai Delyth.

'Wel, mi ddaeth y tri boi 'ma i mewn – un bychan a dau gorila mewn cotiau hir fel rêl blydi gangsters. Dim ond fi oedd yno. "We're not open yet," medde fi, yn ddigon diniwed. Doedden nhw ddim yn edrych fel tasen nhw awydd gêm gynnar o bingo ac mi oeddwn i'n gwybod yn iawn nad oedd hyn yn normal. "Joe around?" holodd y dyn bach 'ma. "He's out the back," medde fi. "Ger 'im," medde fo, heb na *please* na *thank you*. Rêl acen Sgowsar.' Roedd Alfie'n dechrau mynd i hwyl.

'Be wnest ti?'

'Mynd i'w nôl o, wrth gwrs. Mi oedd o newydd ddod yn ôl o'r stôrs wedi bod yn nôl chwaneg o tedis. Roedden nhw bron i gyd wedi mynd ers y dwrnod cynt.'

'Ia, ia. *Get on with it*, fachgen,' meddai Delyth eto.

' "Rhywun yma i'ch gweld chi," medde fi, ac mi sbeciodd Joe rownd y drws cefn a gweld y tri yn loetran rownd y bandits. "Y Scammells," medde Joe, yn gwybod yn iawn pwy oedden nhw. "Mi ydw i wedi bod yn disgwyl galwad gynnon nhw. Well i ni gael gair." Ac mi gamodd drwy'r drws. "Can I help you?" medde fo'n ddigon poléit, fel tase fo ddim yn gwybod yn iawn be oedden nhw isio. "Hello, Joe," medde'r boi, heb godi ei lygaid i edrych ar Joe. "Mr Jones to you, sonny," medde Joe. Cododd y dyn bach ei olwg ac edrych yn syth i wyneb Joe a gwenu. Fase fo byth wedi gwneud hynny tase fo wedi bod ar ben ei hun. Ond mi oedd y ddau slabyn o foi 'ma efo fo. Roeddwn i'n gweld y cyfan o'r tu ôl i'r drws oedd yn ddigon agored i mi weld.' Roedd dawn y cyfarwydd yn amlwg yn Alfie, oedd yn dod â lliw a manylion, rhai yn ddiangen, i'r hanes.

'A be wedyn?' holodd Delyth.

'Medde'r boi bach 'ma – doedd y ddau arall yn deud dim byd, "I think we've got to come to some sort of understanding, Joe." Doedd o'n amlwg ddim yn mynd i dderbyn ffurfioldeb parchus y Mr Jones. Mi oedd o'n medru lot o eiriau posh am Sgowsar hefyd. "It has become a tradition in these parts to come to arrangements regarding the, shall we say, wellbeing of your business, like. There are many threats that we can save you the trouble of having to confront, like, for which, of course, we require a little silver to cross our palm. Yer know wor I mean?" Mi gododd o ei olwg eto wedyn ac edrych yn syth i wyneb Joe. Mae hynny'n cymryd tipyn o gyts.' Roedd Alfie'n dynwared yr acen yn berffaith.

'Be ddigwyddodd?' medde fi.

'Mi bwysodd Joe i lawr at wyneb y corrach bach 'ma. Mi oedd o o fewn modfeddi i'w drwyn o. Roedd y ddau slab yn dechrau codi eu gwrychyn erbyn hyn. "What do you say, Joe? Let's be sensible about this," medde'r boi bach 'ma, yn dal i syllu heb droi ei lygaid. "I know who you are," medde Joe. "You're one of the Scammells, ain't ya?" "Got it in one," medde'r boi bach. "Don't know which one, but you're a Scammell through and through, a snivelling little Scouse toe rag. Know who I am?"

"Know exactly."

"You know what my answer's going to be then."

"And what might that be, Joe?"

"Go fuck yourself! How does that sound?"

Doedd o ddim yr ateb mwyaf diplomataidd, ac roedd y *shit* a'r ffan yn mynd i hitio'i gilydd unrhyw funud.' Roedd Alfie yn benderfynol o wasgu pob owns o ddrama o'r gwrthdrawiad.

'A ...?'

'A be?'

'Be ddigwyddodd nesa?' Roedden ni i gyd yn awchu am glywed diwedd yr hanes.

Aeth Alfie yn ei flaen. 'Mi neidiodd Joe drwy'r dyn bach fel tase fo ddim yno a rhoi braich am wddw'r ddau foi mawr tu ôl iddo fo a'u dal nhw yno fel tasen nhw mewn feis a bangio'u pennau nhw hefo'i gilydd. Mi fedrwn i glywed y glec o'r cefn. Dw i'n siŵr eu bod nhw'n gweld andros o lot o sêr. Mi gerddodd efo'r ddau a'u coesau nhw'n woblan fel dwy ddoli glwt a'u lluchio nhw drwy'r drws yn swp ar y pafin tu allan. Mi drodd wedyn at y corrach oedd yn codi o'r llawr. "Now you, sonny," medde Joe. Dw i'n siŵr fod hwnnw wedi cachu yn ei drowsus erbyn hyn. "I only pick on people my own size. Now sod off, you little Scouse shit," medde Joe, "and tell whoever sent you they're not getting a penny out of me, and that you don't mess with Mexico Joe. Got it? Got it?" medde fo wedyn. "Say, 'Yes, Mr Jones'."

"Yes, Mr Jones," meddai'r corrach yn ufudd.

"Now, fuck off back to your hole," oedd geiriau ola Joe fel roedd y dyn bychan yn sgrialu allan drwy'r drws ffrynt. Roedd yna Ford Corsair du y tu allan. Weles i mohonyn nhw'n mynd ond roedden nhw wedi mynd erbyn i mi ddod allan o'r stafell gefn.'

'Waw,' medden ni i gyd a chlapio perfformiad dramatig Alfie.

'Ond dydw i ddim wedi deud dim byd am hyn wrthoch chi, cofiwch,' ychwanegodd Alfie.

'*Off the record, off the record* yn hollol,' meddai Delyth yn ei dull newyddiadurol gorau. 'Ydy'r polîs wedi cael gwybod?'

'Dim peryg. "Dw i'n sortio 'maw i fy hun allan." Dene be ddwedodd Joe pan holes i. "Dim polîs, a cau di dy ben di hefyd.

Dallt? Dim gair wrth Consuela chwaith, cofia." A dyna ydw i wedi'i wneud. Yn hollol *shtum*. Dallt?'

Nodiodd pawb eu pennau.

'Mi agorodd yr arcêd fel tase dim byd wedi digwydd, yn hollol cŵl, ond mae nghoesau i wedi bod fel jeli trwy'r dydd,' meddai Alfie i gloi ei anerchiad.

'Dene ddiwedd y stori, sgwn i?' medde fi.

'Dim peryg,' meddai Guto.

Pennod 2

Yr ochr arall i'r tracs, dros y bont o'r Vic, roedd y Dudley Arms. Fydden ni ddim wedi meiddio tywyllu'r lle. Doedd pawb ddim yn cael croeso yno, yn ôl pob sôn. Efallai mai chwedlonol hollol oedd hynny, ond aethon ni erioed dros y trothwy i ddarganfod ai gwir oedd y gair. Roedd beiciau'r *greasers* lleol wedi'u parcio'n gyson y tu allan. Roedd rhyw syniad ganddon ni eu bod nhw'n eistedd rownd byrddau budron mewn niwl o fwg baco yn eu lledr yn yfed eu peints a beunydd yn cynllwynio rhyw anfadwaith yn erbyn y *suedes*, y *skins*, neu unrhyw un arall oedd ddim o'r un anian â nhw.

Roedd y termau Mods a Rockers wedi mynd allan o ffasiwn erbyn diwedd y chwedegau, er mai'r un carfanau oedden nhw yn y bôn. Fe gawson nhw eu trafferthion a'u ffrygydau ar lan y môr yn y Rhyl, ond ddim byd tebyg i'r hyn gafwyd yn Brighton a Margate. Mae llawer yn dweud mai hysteria a grëwyd gan y newyddion i werthu papurau oedd y cyfan, a tasen nhw wedi gwneud llai o ffys y byddai'r ddwy garfan wedi cyd-dynnu'n iawn o hirbell. Yn sicr, doedd y difrod o £600 a achoswyd yn Brighton yn sgil y ffrwgwd cyntaf ddim yn haeddu'r penawdau a honnai fod rhyfeloedd ar y promenâd yno a dirywiad moesol ymhlith y genhedlaeth ifanc. Ond roedd y difrod wedi'i wneud ac roedd heddlu tref y Rhyl, fel heddluoedd trefi glan y môr eraill rownd Prydain yn ymbaratoi ac yn disgwyl trafferth. Wedi'r cwbwl, doedd y Rhyl nepell o ganolfannau poblog Lerpwl a Manceinion ac yn faes hynod o gyfleus ar gyfer cyflafan. Heidiai'r llanciau ar hyd yr A55 ar eu moto-beics a'u sgwteri yn eu lifrai ar bnawniau Sadwrn, ac roedd heddlu yn aros amdanynt, eu niferoedd wedi'u chwyddo gan blismyn o'r ardaloedd lle roedd y beicwyr yn dod. Roedd hi'n dipyn o siom i'r plismyn os na chaen nhw ryw rôl wedi'r fath drafferth ond, yn aml iawn, ffrwtian yn hytrach na berwi oedd y sefyllfa, ac mi fydden nhw'n dychwelyd i'w cynefin leoedd heb dorri gormod o chwys.

Doedd *skinheads* 1969 ddim eto wedi dechrau coleddu syniadau hiliol, a cherddorion y Caribî, *ska* a *reggae* ynghyd â The Who oedd eu hanthemwyr. Paredio yn hytrach nag ymladd oedd bwriad y *skins*, a gwelid nhw yn fynych ar eu sgwteri â'u drychau niferus a'u bathodynnau ac yn gwisgo'u *parkas* yn sgŵtio ar hyd y prom. Yn aml iawn roedd lodes lân y tu ôl i bob sgŵtiwr. Roedd hi'n dipyn o sbort ganddyn nhw ddilyn bysiau'r prom a phan ddôi'r cyfle i oddiweddyd y bws ar bob ochr. Bu ambell ddamwain, ond roedd hynny'n rhan o'r hwyl. Roedd y trac yn mynd o Bont y Foryd hyd at Splash Point. Maes parcio'r Point Hotel oedd eu man ymgynnull a'u lloches yn y dwyrain rhag llid y *greasers*, oedd â'u lloches ar ben arall y prom yn y gorllewin.

Yn sgil y paredio a'r mynych drafferthion i fysiau'r prom, y 'toast racks' fel y'u gelwid, datblygodd y beicwyr enw fel rhyw fath o farchogion gwarcheidiol rhag y sgwterwyr blinderus, a dilynent y bysiau ar adegau i fod yn darian iddynt, gan ymfalchïo yn eu rôl. Prin oedd y gwrthdrawiadau, ond roedd y *greasers* wedi naddu amgyffred iddyn nhw eu hunain fel marchogion y fall. Roedd y fyddin hon yn barod i fod yn astalch rhag unrhyw fygythiad. Gwyddai Joe fod ganddo gefnogaeth a chymorth hawdd ei gael mewn cyfyngder. Dim ond galwad i Seth, neu Dr Death fel y gelwid ef, fyddai ei angen. Gyda llaw, o'r odl roedd y llysenw'n deillio yn hytrach nag o unrhyw weithred lofruddiaethol.

Roedd bwrlwm yr arwisgo yng Nghaernarfon wedi bod ddechrau mis Gorffennaf a phethau'n dechrau tawelu bellach, ond roedd ambell gyfnod yn brysurach nag arfer i'r heddlu, yn arbennig pan oedd gwyliau traddodiadol rhyw ardal neu'i gilydd yn digwydd. Roedd angen sylw a gwyliadwriaeth arbennig adeg gwyliau Ardal y Crochendai ac wythnos Ffair Glasgow, pan ddisgynnai carfanau o Sgotiaid o anian go galed ar dref y Rhyl. Gellid disgwyl i ambell gynnen o'r Hen Ogledd gyrraedd y dref a gallai ffrwgwd oedd wedi'i dechrau yn y Gorbals gael ei pharhau ar y Stryd Fawr. Roedd sôn mai cyllyll a chribau dur wedi'u miniogi oedd yr arfau o ddewis ar gyfer cyflafan o'r fath. Clywyd sŵn gwn yn atsain i lawr y stryd un tro, er na ddaliwyd y person a'i cludai ac ni saethwyd neb. Roedd yr heddlu yn disgwyl trafferth ar nos Sadwrn olaf yr wythnos wyliau o'r Alban.

Yr un min nos Sadwrn ym mis Gorffennaf y daeth mintai'r Scammells ar ymweliad â Mexico Joe's. Ond roedd yr heddlu'n edrych i gyfeiriad arall. Yn ôl Alfie, roedd tua chwech ohonyn nhw, yn gwisgo balaclafas â phastwn yn llaw bob un. Roedd neges wedi cyrraedd Joe ar ei ffôn yn y bwth rhoi newid ychydig funudau ynghynt, ac roedd yntau wedi mynd ati i ddeialu rhif y Dudley.

'Joe here. Mayday,' meddai a rhoi'r ffôn i lawr, a chodi o'r bwth â'i bastwn ei hun i wynebu'r garfan oedd yn amlwg ar berwyl dinistriol. Y dyn bach oedd ar flaen y gad. Gwyliodd Alfie'r cyfan o'i bulpud bingo. Roedd bron yn ganmoliaethus o'r modd y gadawon nhw i'r ychydig gwsmeriaid oedd yno ar y pryd ddiflannu i awyr y nos cyn dechrau ar eu gwaith o falu'r lle yn dipiau mân. Roedd fel petai rhyw decorwm i drais.

'Not you, you bastard,' meddai'r dyn bach wrth Alfie, oedd yn coleddu'r syniad o ddianc efo'r cwsmeriaid. Fu Alfie erioed yn un o ddewrion y byd ac eisteddodd yn ôl yn ei gadair. 'To work, boys,' meddai'r dyn bach a gwyliodd nhw'n mynd ati i falurio'r lle.

Os oedd dinistr i fod, roedd Joe yn benderfynol o gael un shot go lew, a gafaelodd yn y dyn bach a'i hyrddio yn erbyn un o'r peiriannau slot. Roedd ar fin rhoi clusten iddo pan ddaeth pastwn ar draws ei goesau o'r tu ôl iddo a'i daro i'r llawr. Adnabu Joe wyneb y poenydiwr o'r wythnos cynt. Roedd ploryn coch, amlwg, ar ei drwyn ac roedd dial yn ei lygaid. Pwniodd Joe yn giaidd yn ei fol â'r pastwn wedyn. Wrth i Joe wingo ar y llawr camodd y dyn bach yn ei flaen a rhoi cic iddo yn ei ben. Chlywodd Joe mo sŵn y beiciau'n rhuo'r tu allan. Roedd marchogion y fall wedi cyrraedd.

'Scammell!' sgrechiodd Seth drwy'r drws. Ar y gair peidiodd y malurio. 'See what I can do,' meddai Seth, gan gamu yn ôl a phwyso yn erbyn y Ford Corsair du tu allan a rhoi'r sbaner sylweddol oedd yn ei law drwy ffenest flaen y car. Aeth sbaner arall drwy ffenest un o'r ceir dihangol eraill.

Roedd tuag ugain o feiciau wedi dod ar hyd y prom a pharcio tu allan i'r arcêd, â'u peiriannau'n rhuo wrth aros yno yn poeri llysnafedd. Fel un, diffoddodd pob marchog ei beiriant a chodi oddi ar ei farch a naill ai tsiaen beic, morthwyl neu sbaner yn ei law yn barod am yr ornest. Daeth mintai'r Scammells yn gatrawd tipyn llai trefnus i'w hwynebu ar y palmant. Roedd ymwelwyr y prom erbyn hyn wedi cilio i bellter parchus i wylio.

'Yous don't need to do this, yer know,' meddai'r Scammell bach, a'r cryndod lleiaf i'w glywed yn ei lais. Nid oedd am ddangos ofn ond roedd yn amlwg mewn sefyllfa go beryglus. Doedd ei filwyr ef ddim mor arfog, mor hyll yr olwg, ac yn sicr ddim mor niferus â'r milwyr a'u hwynebai.

Roedd y ddwy fintai'n sgyrnygu ar ei gilydd. Camodd Seth ymlaen i wynebu'r corrach a phwyso'i gorpws sylweddol ymlaen. 'You a betting man, Scammell?' holodd.

'What?'

''Cos a good punter knows when to quit when the odds are bad, and yours don't look too good now, do they?' meddai Seth â gwên lydan yn llawn hyder. 'I'll give you ten to take your little friends, get into your little cars and fuck off. One … two. I'm counting, Scammell. Three.' Roedd meddwl y bychan yn rasio. 'Four,' meddai Seth yn uchel. Roedd un o'r beicwyr yn troi ei tsiaen yn fygythiol. 'Five.'

'I think we're finished for the day, boys. Time to go, I think,' meddai Scammell heb droi i edrych, a phwyntio at y ceir. Roedd baich cywilydd yn drwm ar eu hysgwyddau.

'Six,' meddai Seth.

'Now. Go now!' gwaeddodd Scammell. Ufuddhaodd ei farchogion yn rwgnachlyd a mynd i'w ceir. Safodd Scammell o flaen Seth yn syndod o ddewr ac edrych yn syth i'w lygaid. 'Another day. Another day,' meddai a throi at y Ford cyfagos. Safodd y beicwyr yn llinell dawel wrth iddo fynd. Dilynodd sbaner y car diwethaf i ymadael a thorri'r ffenest ôl.

'Bull's eye,' gwaeddodd un o'r beicwyr yn fuddugoliaethus a chododd bloedd o gymeradwyaeth.

Darganfu Seth Joe yn dadebru'n raddol â chwydd sylweddol yn datblygu ar ochr ei wyneb a gwaed yn dod o'i drwyn. 'You OK, mate?' holodd.

'Think so,' atebodd Joe, yn ysgwyd y niwl o'i ymennydd.

'Bit of a mess. Couldn't get here sooner. Boys did good though. Scammells gone. Didn't realize they got you.'

'I'll be alright. Had worse. Thanks, boys,' meddai Joe a chodi ei fawd ar y fintai y tu allan. 'Bastard got me. Missed all the action.'

'Not much to speak of. We came, they went. I think we'll clear off before the boys in blue turn up,' meddai Seth a throi i gyfeiriad gweddill y beicwyr, oedd bellach wedi tanio'r peiriannau yn barod i fynd ar orchymyn eu harweinydd. Dilynodd Joe y beiciwr yn simsan at y drws. Cododd Seth ei law a diflannodd y beicwyr yn fintai swnllyd i lawr y prom. Byddai cyfeddach fawreddog yn y Dudley y noson honno.

'Keep in touch,' meddai Seth cyn mynd ar ei feic yntau.

'I will,' oedd geiriau olaf Joe wrtho, cyn ei wylio'n diflannu ar hyd y prom ar ôl ei gymdeithion.

Cododd Alfie o'i bulpud, lle gwelsai'r olygfa i gyd, a mynd i sefyll wrth Joe ger y drws.

Cyrhaeddodd fan yr heddlu bron yn syth ar ôl i'r beicwyr ymadael. Sarjant Lloyd oedd wrth y llyw. Roedd Joe yn ei adnabod yn iawn.

'Rhywun wedi'n ffonio ni. Problem yn fa'ma glywes i, Joe,' meddai'r sarjant yn rhoi ei ben allan drwy ffenest y fan.

'Ddim byd sbesial, wedi'i sortio rŵan.'

'Siŵr?' holodd y sarjant wedyn, yn ddrwgdybus wrth weld ôl gwaed ar wyneb Joe.

'Berffaith siŵr,' atebodd Joe. 'Dim angen y cafalri heddiw.'

'Os wyt ti'n deud,' meddai Sarjant Lloyd a throi ei ben at y gatrawd oedd y tu ôl iddo. 'Panic over boys. No fun and games today, I'm afraid.' Doedd y sarjant ddim yn un i wneud gwaith na thrafferth iddo'i hun. Roedd Alfie ar fin agor ei geg ond cafodd bwnied dichellgar gan Joe, a barnodd mai doeth fyddai cau ei ben.

'Back to the ranch, I think,' meddai'r sarjant a rhoi ei droed ar y sbardun a gadael â gwên wybodus ar Joe. Roedd o'n gwybod yn iawn.

'Mi wnawn ni gau'n gynnar heno, dw i'n meddwl,' meddai Joe a chamu i'r arcêd i wynebu'r llanast. Simsanodd ryw ychydig yn erbyn un o'r peiriannau slot ond llwyddodd i aros ar ei draed. 'Brwsh a'r hwfer o'r cefn greda i, Alfie,' meddai. Roedd yn amlwg yn gwingo wrth gerdded ond doedd Joe ddim yn un i ddangos gwendid.

Yn ôl Alfie, fuo fo ddim yr un fath wedyn. Cerddai a'i gorff ar fymryn o osgo ac roedd rhyw olwg wyllt wedi dod i'w wyneb. Gwyddai Alfie am y gwn hefyd. Byddai hwnnw gydag ef bob dydd wrth iddo eistedd yn ei flwch rhoi newid. Dangosodd y gwn i Alfie un tro. 'Mendoza PK-62-3 Derringer Munisalva pistol,' meddai, yn pwysleisio pedigri'r dryll. 'Doeddwn i erioed wedi meddwl y base'i angen o arna i yn fa'ma. Mi ddes i â fo adre hefo fi o Mecsico. Teclyn handi ydy o hefyd. Mi geith o fod hefo fi o hyn ymlaen. Dim ond tair bwled sy gen i iddo fo, ond mi wneith y tro.'

'Oes gennoch chi leisens i hwnna?' holodd Alfie ar y pryd. Nid atebodd Joe.

'Ydy Consuela yn gwybod am hwn?' holodd Alfie wedyn.

'*Un secreto* bach rhyngot ti a fi,' meddai Joe gan daro'i fys ar ochr ei drwyn a rhoi'r gwn bychan oedd fawr mwy na chledr ei law yn ôl yn ei boced.

Aeth Alfie i gryn afiaith wrth ddweud yr hanes wrthon ni yn y Vic a ninnau'n glustiau i gyd. Gorffennodd yr hanes drwy ddatgan ei fod o'n 'cachu brics' bob diwrnod wrth fynd i'w waith.

'Ddylet ti ddweud wrth rywun,' medde fi.

'Dim peryg,' medde fo. 'Wnewch chi ddim dweud wrth neb chwaith, na wnewch.'

'Na wnawn,' medden ni mewn unsain gan ysgwyd ein pennau.

'Ond pam wyt ti'n dweud wrthon ni?' holodd Guto.

'Seciwriti. Rhag ofn bod rhywbeth yn digwydd i mi. O leia mi fydd rhywun yn gwybod. Fi ydy'r unig un heblaw am Joe sy wedi gweld pob dim. Mi oedd gen i *grandstand seat*, on'd oedd. Dw i jest yn gobeithio y gwneith pethau dawelu ryw ychydig rŵan.'

'Blydi hel, mae hyn yn *serious*,' medden ni i gyd.

'Ydy. *Seriously serious*!'

Roedd Delyth yn gwrando'n astud ar bob gair ond ddwedodd hi ddim byd.

Roedd lluniau o Neil Armstrong yn gwneud campau ar y lleuad ar y sgrin deledu yng nghornel y bar.

Pennod 3

Ar y graff o grefyddoldeb roedd y garfan o bobl efengylaidd a âi ar y traeth i bregethu yn y gobaith o achub eneidiau twristiaid bob prynhawn Sul ar un pen i'r raddfa a ni, gapelwyr anfoddog, ar y pen arall. Roedd gorfod gweithio ar y Sul yn esgus go lew i beidio mynychu oedfa'r bore, ond weithiau roedd bore rhydd gen i ac roedd yn rhaid mynd. Roedd y ffaith fod un o hoelion wyth Rhyl Ents, Emlyn Parry-Huws, yn aelod pwysig o'r gynulleidfa yn dod â rhywfaint o barchusrwydd i'n habsenoldeb. Dyn sylweddol a edrychai'n hynod o debyg i Winston Churchill oedd o ac un oedd yn dod ag awdurdod i unrhyw gyfarfod. Ef oedd ar binacl y gadwyn fwyd oedd yn dod â maeth i'r Rhyl, a gwyddai pawb hynny. Heb dwristiaeth, fyddai yna ddim byd, a gallai pawb edrych y ffordd arall os nad oedd ei gyfrifoldebau'n gweddu'n union i werthoedd y capel. Roedd economi'r dref yn ddibynnol ar y mewnlifiad hafol a doedd dim pall ar y mewnlifiad hwnnw ar y Sul. Rhaid oedd eu bwydo, eu cludo, eu diddori a sicrhau eu bod nhw'n cael torri eu syched, ac roedd y Greenall Whitley a'r M&B yn llifo'n ffri. Roedd y ffaith iddo gyfrannu'n sylweddol at y gronfa i atgyweirio'r organ yn ffactor bwysig yn y parch a gâi Mr Parry-Huws. Gwrthododd sawl cynnig i fod yn flaenor ond eisteddai yn ei sedd yn ffyddlon ym mhob oedfa bore Sul. Y peth pwysicaf amdano oedd ei fod o'n fòs arna i. Wyddwn i ddim a oedd o'n gwybod hynny; wedi'r cwbwl, roedd degau, os nad cannoedd, yn cael eu cyflogi ganddo. Heidiai nifer sylweddol o weithwyr i'r dref bob haf o bedwar ban i arlwyo coffi a *chips*, glanhau llofftydd, troelli seddau'r Waltzer a llwytho'r Big Wheel. Doedden nhw ddim y garfan fwyaf parchus o weithwyr, ond doedd Rhyl Ents byth yn gofyn am eirda. Roedd gweithio ar y Sabath bron yn barchus, ond roedd mynd i chwarae gêm o bêl-droed neu fynychu tafarn yn bechod marwol. Roedd gweithio yn rhaid ac adloniant yn ddewisol.

Gallai ymddygiad afreolus ddatblygu ar y Sul fel pob diwrnod arall a rhaid fyddai i'r heddlu fod ar eu gwyliadwriaeth ar y Sabath hefyd, ond byddai'r Uwch-arolygydd John Zacharia Roberts yn gyson yn oedfa'r bore hefyd. Zac oedd i'w ychydig ffrindiau dethol, ond Mr Roberts neu 'Chief' oedd o i bawb arall. Roedd wedi esgyn i uchelfannau'r ffôrs yn syndod o gyflym – cysylltiadau, meddai rhai – ac wedi bod yn 'chief' yn y Rhyl ers oes pys. Roedd ei gorff yn denau a'i wyneb yn fain ac fel Razor Roberts y câi ei adnabod gan ddihirod y dref. Roedd ganddo ddwy lygad oer fel siarc a thrwyn fel eryr. Gallai Emlyn Parry-Huws ac yntau ddefnyddio enwau cyntaf ei gilydd mewn sgwrs wedi'r oedfa – y ddau'n ben pastwn ar eu gwahanol diriogaethau. Mi fues i'n fachgen papur i'r ddau ohonyn nhw ar un adeg gan fod eu tai ar y Boulevard ar fy rownd i. Y *Times* i un a'r *Daily Mail* i'r llall, a'r ddau'n grintachlyd iawn yn fy marn i ar y pryd, heb i gildwrn Nadolig ddod o boced yr un ohonyn nhw.

Roedd ein criw ni mewn capeli gwahanol; dim ond Delyth oedd yn yr un capel â fi ond anaml fyddai hi yno gan ei bod hi wedi gadael cartref ac yn byw mewn fflat ar Russell Road, oedd yn gyrchfan ddefnyddiol o olwg rhieni i'n grŵp dethol ni. Ond roedd hi a fi yn oedfa'r bore ar y dydd Sul wedi ymosodiad y Scammells.

'Ti wedi cael crefydd neu rwbeth?' holais i'n goeglyd wrth siarad â hi ar y ffordd y tu allan i'r capel wedi'r oedfa.

'Dad yn flaenor a rhaid plesio weithie os ydw i'n mynd adre am ginio dydd Sul, ac mi oeddwn i isio cael gair anffurfiol efo nhw,' meddai hi gan gyfeirio at Winston a'r Rasel yn trafod yn y cyntedd.

'Pam?' medde fi.

'Y papur am wneud rhyw broffiliau o "arweinyddion cymdeithas",' meddai hi a gwneud arwydd dyfynodau â'i bysedd, 'a gan mod i'n rhyw hanner nabod nhw, wedi gofyn i mi gynnal cyfweliad â'r ddau.'

'Pob lwc,' medde fi wrth iddi hi gerdded atyn nhw.

'Paid â mynd eto. Fydda i 'nôl mewn munud,' ychwanegodd hi.

Chlywais i ddim o'r drafodaeth â'r ddau ond roedd Delyth ddeniadol yn gallu bod yn fêl i gyd a'r ddau ŵr canol oed yn amlwg yn falch o'r sylw a gaent ganddi. Roedd tipyn o nodio ac ysgwyd llaw wedyn cyn iddi hi ddychwelyd ata i.

'Bingo!' meddai hi. 'Y ddau wedi cytuno. Be wyddost ti amdanyn nhw? Ti'n byw yn reit agos atyn nhw, on'd wyt?'

'Jest bod ganddyn nhw dai go grand.'

'Be ti'n wneud pnawn 'ma?' holodd hi wedyn.

'Ddim lot. Mae gen i *day off* heddiw.'

'Awydd mynd am dro yn y car?'

'Ble?'

'Gei di weld. Tipyn bach o "investgative journalism",' meddai hi a gwneud yr arwydd dyfynodau yna efo'i bysedd eto.'

'Mynd am y Pulitzer 'na, wyt ti?'

'Ddim cweit. Gei di ddweud wrtha i am Pinky a Perky fan acw ar y ffordd. Dy gar di neu nghar i?'

'Goda i di am hanner awr wedi dau. Tŷ dy fam?'

'Ia,' meddai hi, a throdd y ddau ohonon ni adref am ein cinio defodol. Roedd ein mamau yn aros amdanon ni gyda'u harlwy.

Mini oedd gen i, wedi ei brynu ag enillion y bysys y flwyddyn cynt am £125: un melyn go lachar, un o'r rhai gwreiddiol â'r ffenestri'n llusgo o ochr i ochr yn hytrach nag i fyny ac i lawr, a glamp o lifer hir i newid gêr. Doedd o ddim yn fagnet i ferched del fel roeddwn i wedi gobeithio, ond roeddwn i'n teimlo'n rêl boi y tu ôl i'r olwyn. Roedd cael Delyth yn yr un car â fi ar ei phen ei hun yn bleser pellach. Canais y corn y tu allan i dŷ ei rhieni yn Rhuddlan a daeth hithau allan yn ei dillad dydd Sul gorau a dod i eistedd wrth fy ochr yn y car. Roedd ei mam yn chwifio ar ei hôl wrth y drws.

'Ble yden ni'n mynd?' gofynnais.

'Tremeirchion,' meddai hi'n bendant. Roedd rhyw chwilen ganddi yn ei phen. Roedd hynny'n amlwg. Roedd hi yn ei rôl newyddiadurol. 'Ti'n gwybod y ffor'?'

'Ydw.'

'Reit, be arall wyddost ti am Parry-Huws a'r Chief?.'

'Ddim lot. Y ddau'n byw mewn tai mawr. Yn edrych yn posh iawn tu mewn, o be welwn i'n mynd â phapur yno ers talwm. Ceir go posh tu allan hefyd. Mae Jag gan Parry-Huws rŵan, wn i hynny.'

'Be am y Chief?'

'Ford Zephyr, ond dw i ddim yn siŵr.'

'Gwragedd?'

'Mae gan Parry-Huws un ond byth yn ei gweld hi efo fo. Dynes fechan. Dw i'n ei gweld hi'n pasio, yn cerdded ei chi heibio tŷ ni weithie. Mam yn dweud nad oes yna ddim lot o Gymraeg rhyngddyn nhw. Un o'r de yn rhywle ydy hi.'

'Rioed wedi'i gweld hi yn y capel.'

'Dw i fel taswn i'n cofio rhywbeth mai Catholig ydy hi.'

'Roberts? Weles i rioed neb efo fo yn y capel chwaith pan dw i yno,' meddai Delyth.

'Na. Ei wraig wedi'i adael o flynyddoedd yn ôl. Tipyn o sgandal ar y pryd, yn ôl Mam. Mae hi'n gwybod popeth os oes sgandal.'

'Radar merched yn well na dynion, ti'n gweld,' meddai Delyth gan grechwenu.

'Rhyw ddynes arall wedi symud i mewn. Lot fengach; pishyn hefyd. Alfa Romeo Spider ganddi.'

'Diddorol.'

'Reit, pam yfflon yden ni'n mynd i Dremeirchion?'

'Gei di weld.'

Troi yn Rhuallt wnaethon ni ar hyd y ffordd droellog sy'n mynd heibio Canolfan Sant Beuno.

'Tynna i fewn fan hyn,' meddai Delyth yn sydyn, fel roedden ni'n dod yn agosach at y pentref. Roedd cilfach gyfleus i mi aros. 'Dyna ble mae'r Scammells yn byw,' meddai hi'n fuddugoliaethus a chyfeirio at fferm ychydig i lawr y ffordd. Roedd geriach o amgylch y buarth a dim sôn am na thail nag anifail i'w weld yn un o'r siediau. Uwchlaw'r buarth roedd ffermdy sylweddol a nifer o siediau, ac edrychai'r cyfan fel pe gallai wneud â llyfiad go lew o baent a gofal. Roedd dau gar a Land Rover wedi'u parcio'r tu allan. 'Pa geir ydy rheina?' holodd hi.

'Ford Corsair, a wela i mo'r llall yn iawn.'

'Ford Corsair soniodd Alfie amdano fo?'

'Ia, ond mae yna lot ohonyn nhw o gwmpas.'

'Ydy'r ffenest wedi torri?'

'Ydy falle, ond mae'n anodd dweud.'

'Sut mae'r ffenest yma'n agor, dwêd?' meddai hi'n sydyn.

'Pam?' medde fi.

'Dw i isio tynnu llun. Fydd o dda i ddim trwy'r gwydr,' meddai hi a thynnu camera go soffistigedig o'i bag a lens go sylweddol hefyd.

Llithrais y ffenest yn agored iddi a phwyntiodd hi'r camera drwyddi a chlicio'n ffyrnig ond yn ddeheuig iawn. Rêl newyddiadurwr proffesiynol.

'Dw i wedi bod yn gwneud tipyn bach o chwilota,' meddai hi ar ôl rhoi'r camera yn ôl yn ei bag. 'Llyfrgelloedd, llyfrau ffôn ac ati. Dyma lle mae'r Scammells yn byw, yn yr haf o leia. Mae ganddon nhw le arall ochrau Caer. Busnes sgrap. Yn ôl y records tir, maen nhw'n rhentu'r tir yn fan hyn allan i ffermwyr lleol. Rhyw fath o hafod ydy hwn, ac yn ôl i'r hendref pan fydd y tywydd yn troi. Hen ffasiwn, yntê?'

'Ti **yn** mynd am y Pulitzer, felly.'

'Ha ha, jest wedi blino ar "man loses dog in Abergele" a bellu. Mae yna fam a thri mab. Y tad sy'n rhedeg y busnes sgrap ond hi sy'n rhedeg y sioe, o beth glywais i. Ddim yn ddynes i'w chroesi. Tincers oedden nhw yn wreiddiol ond wedi sefydlu busnes rownd Mancot ac yn fan hyn. Nhw sy'n rhedeg y rhan fwya o'r tacsis rownd y Rhyl. Mae gynnon nhw swyddfa ar Kinmel Street, yn agos i'r stesion. Trwyddyn nhw mae'r rhan fwya o canabis y dre yn dod, a dw i'n amau bod heroin yn dod drwyddyn nhw hefyd. Mae gynnon nhw farchnad go lew i amffetamins hefyd. Pan gawson nhw eu gwneud yn anghyfreithlon ddwy flynedd yn ôl, dechreuodd y bonansa go iawn i'r teulu. Digon i brynu ffarm o leia.'

'Blydi hel, sut aflwydd gest ti wybod hynny?' medde fi'n syfrdan.

'Taswn i'n dweud wrthot ti, mi fase'n rhaid i mi dy ladd di. "Source confidentiality", ti'n deall.'

'Newyddiadurol iawn,' medde fi'n goeglyd.

'Rho sws i mi,' meddai Delyth yn sydyn a gafael amdana i a rhoi clamp o sws flêr i mi rywle wrth ochr fy nhrwyn. Roeddwn i ar fin ymaflyd ynddi yn ôl pan siaradodd hi o ochr ei cheg. Roedd yn dipyn o siom i mi, rhaid cyfaddef, pan ddywedodd hi, 'Yden nhw wedi mynd?'

'Pwy?'

'Rheina yn y Land Rover.'

'Na, maen nhw'n troi ffor' yma,' medde fi. Gallwn i weld y Land Rover yn dod allan drwy giât y buarth y tu ôl i'w phen.

'Dal ati i swsio tan fyddan nhw wedi mynd,' meddai hi drwy gornel ei cheg eto.

Wrth i'r Land Rover fynd heibio i ni, daeth braich allan o ffenest y cerbyd yn awgrymu codiad a chlywais i nhw'n gweiddi 'Wey hey!' Rhaid bod ein perfformiad ni'n gredadwy, meddyliais, er bod ein lleoliad braidd yn llai felly. Dadfachodd Delyth o'r ymaflyd ar ôl iddyn nhw fynd yn ddigon pell.

'Sori am hynna,' meddai hi.

'Croeso,' medde fi. 'Unrhyw beth yn enw ymchwil newyddiadurol.'

'Ha ha!' meddai hi'n goeglyd. 'Rŵan, cer ar ôl y Land Rover yna.'

'OK, Miss,' medde fi a thanio'r injan. 'Mi oedd o'n reit neis, cofia,' ychwanegais. Wnaeth hi ddim ymateb. Troais y car rownd ar y groesffordd i ddilyn y Land Rover ar hyd y ffordd y daethon ni.

'Brysia,' meddai hi. 'Ond cadwa'n ddigon pell oddi wrthyn nhw.'

Doedd dim rhaid iddi hi bwysleisio bod angen cadw pellter parchus. Roedd eu hanes nhw yn lle Joe yn ddigon i annog gofal. Ymlaen â'r Land Rover drwy'r Rhuallt ac ymlaen i Ruddlan. Roedden ni'n meddwl i ni golli golwg arni ar y ffordd i mewn i'r Rhyl, ond wrth fynd heibio tafarn Ffordd Derwen gallem ei gweld hi ryw bum car o'n blaenau ni. Doedd dim brys arnyn nhw. Dros bont Vale Road â nhw a throi ar hyd Stryd Kinmel. Roedd tipyn o brysurdeb rownd y dref i fyny'r Stryd Fawr.

'Ydyn nhw am stopio yn y lle tacsis, sgwn i? Na, maen nhw'n dal i fynd. Cadw yn ôl. Ti braidd yn agos,' meddai Delyth. Dim ond un car oedd rhyngon ni erbyn hyn. Ymlaen ar hyd Wellington Road i gyfeiriad y Marine Lake. Ymlaen wedyn a dros Bont y Foryd.

'Lle gythrel maen nhw'n mynd?' medde fi, pan drodd y Land Rover i gyfeiriad parc carafannau Sunny Vale ar gyrion Trwyn Horton.

Erbyn hyn mae pont droed grand dros yr afon at y lle sydd wedi'i ddatblygu'n warchodfa natur, ond ym 1969 trwyn o dwyni tywod eithaf di-nod yn ymwthio i'r môr gyferbyn â'r prom oedd Trwyn Horton ac yn ymestyn yr ochr draw i'r aber gyferbyn â'r prom. Yn yr aber roedd nifer o gychod pleser a chychod pysgota yn gorwedd ar y tywod â'r llanw allan a chei bychan lle gallai llongau mwy sylweddol oedd yn cario coed i'r felin lifio gerllaw aros pan oedd y dŵr yn ddigon dwfn ar benllanw. Roedd un cwch yno wedi'i glymu'n dynn wrth y wal rhag iddo ddymchwel gyda'r llanw isel ond doedd dim arwydd o neb ar ei fwrdd.

'Tro rownd a cer yn ôl ar hyd y prom,' meddai Delyth.

'Iawn, Bòs,' medde fi a throi'r car ger y Ferry Hotel a dychwelyd yn ôl dros Bont y Foryd ac ar hyd y prom gyferbyn â'r cei.

'Ffendia le i barcio i ni fedru edrych dros yr aber,' meddai hi. Roedd lle cyfleus dros y ffordd i'r ffair. 'Amser i ni fynd i edrych yn freuddwydiol dros yr aber, greda i,' meddai hi wedyn.

'Oes yna chwaneg o swsio i fod?' holais.

'Ha ha!' meddai hi. Roedd hi'n amlwg mai ffrindiau yn hytrach na chariadon oedden ni am fod. Mi godon ni o'r car i edrych dros y wal, oedd yn ddigon uchel i guddio'r Mini melyn. Roedd digon o brysurdeb ar y prom i'n cuddio ni. Roedd ei chamera gan Delyth unwaith eto. Pwysodd ar y wal a dechrau clicio eto.

Roedd y Land Rover i'w weld wedi parcio ger y felin lifio. Agorodd giât ac aeth y cerbyd i mewn i'r iard lle roedd planciau pren wedi'u pentyrru'n daclus. Symudodd y Land Rover eto, gyrru i'r iard a diflannu i sied.

'Sgwn i be maen nhw'n neud yn fan'ne?' meddai Delyth.

'Prynu coed?' awgrymais.

Eisteddon ni ar y wal. Roedd yr haul yn boeth ar ein cefnau a ninnau yn ein dillad dydd Sul gorau, anghyfarwydd, yn edrych braidd yn chwithig yn y fath le. Roedd sŵn bwrlwm y ffair y tu ôl i ni â churiad rhythm cryf yn dod o'r Waltzer a thwristiaid o bob llun yn mynd heibio: rhai wedi cael gormod o haul, yn ôl y trwynau a'r ysgwyddau cochion; eraill wedi cael gormod o'r Greenall Whitley. Ymhen tua deng munud daeth y Land Rover allan unwaith eto a phrysuro i'r cyfeiriad o ble y daethai. Cliciodd Delyth eto.

'Wyt ti'n meddwl be ydw i'n feddwl?' holodd Delyth.

'Be ti'n feddwl dw i'n feddwl?'

'Dyna sut mae eu cyffuriau nhw'n dod i mewn, fetia i. Mi faswn i wrth fy modd yn gwybod be sy gynnon nhw yn y Land Rover yna.'

'Elementary, my dear Delyth. Elementary,' medde fi braidd yn sinigaidd.

'Sgwn i faint o sylw mae'r Rasel yn ei roi i'r digwyddiadau fan acw? Os yden ni'n gweld, siawns bod y polîs yn medru gweld hefyd.'

'Gei di ofyn iddo fo pan gei di'r cyfweliad yna efo fo.'

'Dim peryg! Tyrd, cer â fi adre,' meddai hi braidd yn swta. A dyna wnes i.

'Ta-ra, Sherlock,' medde fi wrth ei gadael y tu allan i'w fflat.

'Yden ni ddim yn debygol o sathru ar gyrn pobol go beryg, dywed?' medde fi wedyn, yn ceisio dod â rhyw ychydig o synnwyr cyffredin i bethau. Roedd Delyth yn amlwg yn ffrwtian yn ei phen.

'Ta-ra, Watson,' meddai hithau a chwythu cusan gellweirus i nghyfeiriad i. Ddwedes i ddim mwy.

Pennod 4

Roedd swyddfa Rhyl Ents wrth yr olwyn fawr. Oddi yno roedd popeth yn cael ei reoli. Yno roedd swyddfa Mr Parry-Huws. Yno yr eid â'r arian o bob stondin ar ddiwedd y prynhawn a'r nos, ac oddi yno y telid cyflogau. Roedd popeth i gynnal y ffair a gweddill yr amryw leoliadau ar hyd y prom oedd o dan adain y cwmni yn cael ei gadw mewn storfa ganolog ryw hanner milltir i ffwrdd yng ngofal Don. Roedd Don wedi bod yno ers Oes yr Iâ ac yn gwybod popeth am bopeth yn ymwneud â Rhyl Ents, ond fawr ddim am ddim byd arall. Y cwmni oedd ei fywyd ac yn sgil hynny yn destun cyson ei ymgom hefyd, ac o'r herwydd doedd o ddim y cwmni mwyaf diddorol yn y byd. Gwyddai faint o *chips* wedi'u rhewi i'w hanfon i'r Jolly Fryer a faint o goffi i'w anfon oddi yno i'r Rendezvous. Roedd hi'n fater o bwys mawr os nad oedd yr archeb a ddôi o'r amryw leoliadau yn ddyddiol yn gywir.

Fel gyrrwr fan i Rhyl Ents, roedd gen i rwydd hynt i fynd i bobman. Os oedd angen pysgod wedi'u rhewi yng nghaffi'r Alhambra neu fod angen cyflenwad pellach o roc ar un o'r bwths roc, gallwn yrru rhwng yr ymwelwyr oll yn y ffair i fynd â fy neges yno. Roeddwn i hefyd wedi dod i adnabod sawl un o'r bois oedd yn gweithio yn y ffair.

Roedd Tosh yn un o'r rhai roeddwn i'n ei adnabod, yn bennaf am ei fod o'n siarad Cymraeg; roedd o'n dipyn hŷn na fi. Faswn i ddim wedi'i alw fo'n ffrind fel y cyfryw. Hogyn eiddil, clyfar, yn astudio mathemateg yn Lerpwl. Joseph oedd ei enw iawn ond fel Tosh roedd pawb yn ei adnabod. Daeth i weithio ar y *dodgems* yn ystod gwyliau'r haf a dôi i'w waith ar ei feic modur bob dydd. Roedd o'n hogyn digon clên ond yn dipyn o 'loner'. Roedd pawb yn gwybod yn iawn pam. Roedd wedi dechrau ymhél â chyffuriau tra oedd yn Lerpwl, heroin yn ôl y sôn, ac roedd dirywiad amlwg wedi bod yn ei iechyd ers hynny. Roedd troelli ymysg gweithwyr y ffair yn rhoi digon o gyfle iddo ddiwallu ei anghenion, am wn i.

Roeddwn i ar fy ffordd i siop *chips* yn Nhywyn gyda'm llwyth boreol ar y bore dydd Llun ar ôl bod yn chwarae ditectif efo Delyth pan welais i lot o geir heddlu yn y maes parcio ger y Marine Lake. Troais i mewn i sbecian. Roeddwn i'n adnabod Godfrey o'r Vic, plismon ifanc oedd wedi dod i'r Rhyl ar y pryd. Roedd yn sefyll ym mhen draw'r maes parcio yn rhwystro pobol rhag mentro'n agosach.

'Be sy'n digwydd, God?' holais i.

'Rhywun wedi mynd am bisied tu ôl i'r sied yn fancw a ffeindio corff rhyw hogyn wedi marw.'

'Blydi hel,' medde fi. 'Unrhyw syniad pwy oedd o?'

'Rhywun yn gweithio ar y ffair maen nhw'n meddwl, ond dyden nhw ddim yn siŵr pwy ydy o eto. Well i ti fynd o fa'ma. Maen nhw am i mi glirio'r maes parcio 'ma.'

'Iawn,' medde fi, ac mi es.

Erbyn y prynhawn roedd pawb yn gwybod yn iawn pwy oedd o. Roedd y *dodgems* wedi cau am y tro.

Pan ddaeth Delyth i mewn i'r Vic y noson honno, roedd hi'n welw. Roedd rhywbeth wedi codi braw arni.

'Be sy?' holais.

'Ti wedi clywed am Tosh?'

'Do. Uffern o drist.'

'Ia, ond ti'n cofio ti'n gofyn sut ges i wybod am y cyffuriau 'ne?'

'Mi fase'n rhaid i ti'n lladd i taset ti'n deud wrtha i.'

'Tosh oedd 'y nghontact i. Mi ddois i i'w nabod o yn Lerpwl.'

'Blydi hel!' medde fi. 'Ti'n meddwl bod nhw'n gwybod 'i fod o wedi bod yn siarad efo ti?'

'Wn i ddim ond mae o'n blydi sbŵci. *Overdose* mae pobl yn ei ddweud ond dydy hynny ddim yn gwneud i mi deimlo'n well. Falle mai fi sy ar fai 'i fod o wedi marw.'

'Paid â siarad lol, mi fydd y *post mortem* yn gallu dweud ai *overdose* gafodd o ai peidio. Doedd o byth yn edrych yn iach. Roedd yr heroin neu beth bynnag oedd o'n gymryd yn siŵr o neud amdano fo yn y diwedd,' medde fi, yn trio lliniaru rhywfaint ar ei phoen meddwl. Ond mi wyddwn i'n iawn na fyddai fy ngeiriau'n cael fawr o effaith a'n bod ni wedi dechrau crafu wyneb rhywbeth na ddylen ni a rhywbeth na fynnen ni ei weld. Prynais beint iddi. Daeth GT ac Alfie i mewn yn fuan wedyn. Roedden nhw wedi clywed yr hanes ac roedden nhw'n glustiau i gyd wrth glywed am y ddolen gyswllt â Delyth.

Roedd Godfrey yn taro i mewn am beint ar ôl gwaith yn eithaf aml ar ôl iddo newid o'i ddillad plismon. Serch hynny, roedd hi'n amlwg i bawb o'i ymarweddiad mai heddwas ydoedd. Doedd dim rhaid iddo dalu am ei beint chwaith.

'Unrhyw newydd?' holais i.

'Fedra i ddim deud lot.'

'Wn i, ond cyffuriau oedd yr achos?'

'Yn edrych felly. Roedd yna becyn o stwff a nodwydd yn ei ymyl o, sy'n dipyn o gliw.'

'Tosh oedd o?'

'Joseph Lewis. Ia. Hogyn o Dreffynnon. Trist uffernol. Yn falch nad fi oedd yn gorfod deud wrth ei fam o.'

'*Overdose?*'

'Mae'n edrych felly, ond be wn i? Doedd dim ôl cleisiau ar ei gorff o. Gawn ni weld be ddaw wedi'r *post mortem*. Mi fydd datganiad i'r wasg cyn bo hir, siŵr braidd. Dyna ddigon. Paid â holi chwaneg.' Roedd diwedd wedi dod ar yr wybodaeth a gaem ganddo.

Deuddydd yn ddiweddarach y daeth yr wybodaeth bod cynnwys y pecyn a ddarganfuwyd wrth gorff Tosh yn cynnwys heroin a bod hwnnw'n heroin hynod o gryf. 'Death by misadventure' fyddai dyfarniad y crwner, yn ôl pob tebyg. Roedd penawdau yn y *Daily Post* a'r *Rhyl Journal* yn datgan hynny yr wythnos honno. Roedd yr heddlu yn ymchwilio i bwy werthodd y cyffur iddo ond dim ond 'investigations are continuing' gafwyd ganddyn nhw.

Dychwelyd o'r ffair ar gyfer fy llwyth nesaf oeddwn i pan sylwais i ar Ford Corsair du wedi'i barcio'r tu allan i'r stordy, gyferbyn â fy nghar i. Roedd rhywun yn eistedd ynddo. Roeddwn i dipyn bach yn betrus, a dweud y lleiaf, wrth barcio fy fan wrth y drws. Cerddais i mewn i'r warws ac roedd Don wrth ei ddesg yn pori drwy archebion yn ôl ei arfer. 'Boss in the back room. Do not disturb!' meddai wrth i mi ddod i mewn. Roedd yn amlwg ei fod o am i mi sicrhau ein bod ni'n rhoi'r argraff orau.

'Parry-Huws?' holais.

Nodiodd Don. 'Next lot by the door with delivery notes,' meddai. 'And, oh, get some of the chicken pies from the freezer upstairs, will you? Two boxes.'

'OK,' medde fi.

Roedd cistiau rhewi mawr ar lawr uchaf y warws. Rhywbeth wedi ei ychwanegu uwchben yr ystafell gefn oedd hwnnw, a doedd o ddim yn llawr go iawn. Roedd o fel rhyw fath o rwyll o fetel a thyllau ynddi, ac wrth gerdded at y cistiau gallwn glywed lleisiau'n dod trwy'r llawr. Penderfynais mai doeth fyddai camu'n ysgafndroed rhag tarfu ar y cyfarfod, ond roedd hynny braidd yn anodd gan fod y cistiau yn union uwchben y siaradwyr. Allwn i ddim deall beth oedden nhw'n ei ddweud yn iawn tan i mi ddod yn agosach. Gallwn eu gweld nhw'n blaen drwy'r llawr wedyn, y ddau'n eistedd gyferbyn â'i gilydd dros ddesg. Roeddwn i'n adnabod y llais. Roedd Parry-Huws yn siarad efo rhyw ddyn bychan ac acen Sgowsar go iawn ganddo fo. Ddim ond top ei ben o allwn i ei weld. Mi es i lawr ar fy ngliniau i allu sbecian yn well ac roeddwn yn trio anadlu mor ysgafn ag y medrwn i.

'Yer gorra understand it's not that simple, Mr Huws. He's got friends,' meddai'r Sgowsar.

'Yes it is.'

'What do yer mean?'

'I'm sure you don't want to allow your failures so far to blot your reputation. Just fulfil your part, that's all, Lenny. I'm sure you can find a way.'

'This is big, Mr Huws.'

'Yes, but are you big, or just small time, eh?' meddai Parry-Huws a phwyso ymlaen ac edrych yn syth i wyneb y Lenny yma.

Gallwn weld amlen ar y bwrdd rhyngddyn nhw. Roedd y dyn bach ar fin codi i adael pan grafodd fy nhroed yn erbyn rhywbeth ar y llawr. Aeth y gair 'shiiiiiit' yn sgrech drwy fy ymennydd. Trodd y ddau eu golygon tuag i fyny. Erbyn i mi edrych i lawr eto roedd yr amlen wedi mynd. Wyddwn i ddim i boced pwy.

'Wassat?' holodd Lenny.

'Just the store man,' meddai Parry-Huws.

Barnais mai doeth fyddai parhau â'm gorchwyl o gyrchu'r pasteion cig. Clywais y dyn bach yn ymadael. Cerddais i lawr y grisiau â'r ddau focs mor ddi-hid yr olwg ag y gallwn i. Gwelais y Corsair yn gadael. Roedd Parry-Huws yno o hyd. 'Everything going OK?' gofynnodd i Don.

'Fine, Mr Parry-Huws.'

'Can you sort those packages for me, Don?'

'No problem, Mr Parry-Huws.'

'Keep up the good work,' meddai Parry-Huws a throi i fynd. Gwelodd fi'n sefyll yno a'r ddau focs rhewllyd yn fy llaw.

'Duw, su'mai? Yn hapus yn dy waith?'

'Iawn, Mr Parry-Huws,' oedd yr unig beth allwn i feddwl am ei ddweud.

'Daliwch ati,' meddai. 'Cyfweliad gen i efo dy ffrind di, Delyth,' ac i ffwrdd â fo.

Os nad oedd o'n gwybod cynt mod i'n gweithio iddo fo, roedd o'n gwybod rŵan.

*   *   *

'Sut aeth y cyfweliad efo Parry-Huws?' medde fi wrth Delyth pan ddaeth hi i mewn i'r Vic ar gyfer ein seiat nos Wener. Roedd Alfie a Guto yno'n barod.

'Iawn. Sut oeddet ti'n gwybod?'

'Taswn i'n deud wrthot ti, mi fase'n rhaid i mi dy ladd di,' medde fi.

'Ha blydi ha!' meddai hi.

'Fetia i na soniodd o unrhyw beth am ei fusnes efo rhywun o'r enw Lenny.'

'Naddo, jest stwff boring am helpu cymdeithas, datblygiadau cyffrous newydd ar gyfer y Rhyl ond fod o ddim yn fodlon dweud be eto. Pam?'

'Dw i'n gwybod stwff hefyd, ti'n gwybod,' medde fi.

Mi ges i gyfle i gyflwyno fy hanes i, ond ches i ddim cymeradwyaeth yr un fath ag Alfie chwaith.

'Whiw!' meddai Guto wedi i mi orffen.

'Sut un oedd y Lenny yma?' holodd Alfie.

'Bychan. Llais reit fain ganddo fo. Allwn i ddim gweld ei wyneb o.'

'Gwisgo'n reit ffasiynol?'

'Anodd deud.'

'Geiriau posh am Sgowsar?'

'Oedd, am wn i.'

'Lenny Scammell, fetia i. Be gythrel mae Mr Parry-Blydi-Huws yn wneud efo sglyfeth fel yna?' meddai Alfie.

'Be sy mhoeni i ydy mod i wedi clywed stwff nad oeddwn i fod i'w glywed,' medde fi.

'Does gen ti ddim i boeni amdano fo,' meddai Guto, oedd bob amser yn lladmerydd. 'Dydy gwybod stwff ynddo'i hun ddim yn broblem, ydy o? Gwybod bod rhywun yn gwybod bod ti'n gwybod ydy'r broblem, a dydy Parry-Huws ddim yn gwybod bod ti'n gwybod, ydy o? Felly, dim problem.'

Oedodd pawb i gnoi cil ar ddoethineb Guto.

Roedd meddwl Delyth yn dechrau berwi drosodd erbyn hyn a chyflwynodd hithau ei hanes hi a finnau y dydd Sul blaenorol. 'Ti'n gwybod be 'di enw'r ddau frawd arall?' holodd hi wedyn.

'Scott a Ross, yn ôl Joe, a Sinead ydy enw'r fam,' meddai Alfie. 'Dw i wedi'i gweld hi yn y lle tacsis. Blydi teyrnas o ddynes; mor galed â chraig yr oesoedd, yn ôl ei golwg hi.'

'Whiw,' meddai Guto eto. 'Chi'n siŵr chi ddim yn rhoi dau a dau efo'i gilydd i wneud pump yn fan hyn, a'ch bod chi ddim yn rhoi eich bysedd mewn potes sy'n llawer rhy boeth i chi?'

Sadiodd pawb am eiliad cyn i Delyth ddweud, 'Yden efallai, ond mae o'n botes diddorol ofnadwy, on'd ydy? Ac mae arna i rywbeth i Tosh,' meddai hi wedyn yn feddylgar.

'Galwch fi'n naïf,' medde fi, 'ond sylweddoles i erioed fod y cyffuriau yma'n gymaint o broblem.'

'Agor dy lygaid. Y cwbwl sy'n rhaid i ti wneud ydy edrych yn y lle iawn. Gei di weld yn y Marina nos fory,' meddai Delyth braidd yn ddiamynedd â'r sylw. Doedd dim rhaid wrth ei sylw hi. Roeddwn i wedi hen sylweddoli nad oedd yr hinsawdd y tu allan i'n swigen ddiogelwch i mor fwyn ag oeddwn i wedi tybied iddo fo fod.

Pennod 5

Ar yr ochr fwyaf sidêt o'r prom yr oedd clwb nos y Marina, dan westy'r Morville. Clybiau i ymwelwyr oedd y Palace a'r Haven, ond cyrchfan i ni, bobl leol, gan mwyaf oedd y Marina. Roedd y sain yn dyrnu gyda 'Honky Tonk Women' ac 'I Heard it through the Grapevine' yn ffefrynnau i godi hyd yn oed dawnswyr anfoddog fel fi i'r llawr dawnsio, lle roedd ffasiynau'r dydd yn amlwg: y merched yn cordeddu yn eu ffrogiau rhywiol, rhydyllog a ninnau, fechgyn, yn ceisio ymddangos yn cŵl yn ein fflêrs, ein sodlau Cuba a'n crysau â choleri hirion. Roedd y golau uwchfioled ar y llawr dawnsio yn gwneud i ddillad gwynion ddisgleirio ac i'n crwyn ni edrych fel 'taen ni newydd ddod yn ôl o wyliau yn y Caribî. Roedd sicrwydd wrth fynd yno yn garfan.

'Edrych,' meddai Delyth wrth i ni gyrraedd y maes parcio efo Guto yn y sedd gefn. Byddai Alfie yn cyrraedd yn hwyrach, ar ôl gorffen ei shifft ar y meicroffon. Roedd hi'n dechrau nosi.

'Edrych ar be?' medde fi.

'Y car yna.'

'Pa gar?'

'Hwnna,' meddai hi a chyfeirio at gar nid nepell o'r fynedfa.

'Blydi hel,' medde fi. 'Ford Corsair, ac mae 'na rywun yn eistedd ynddo fo. Yden nhw'n dod i mewn, sgwn i?'

'Parcia yn y gornel bella acw o'r golwg,' meddai Delyth a dyna wnes i. Doeddwn i ddim am i'r Mini fod yn rhy amlwg. Roedd hi'n haws cuddio'r lliw melyn yng ngolau melyn y stryd.

'Yden ni'n mynd i mewn?' holodd Guto.

'Ddim eto, dal dy ddŵr,' meddai Delyth yn bendant. 'Wyt ti'n medru gweld y car?'

'Ydw,' medde fi.

O fewn dim daeth dau ŵr ifanc o rywle a chnocio ar ffenest y

Corsair. Agorodd y ffenest a gollyngodd y gyrrwr rywbeth i law un o'r dynion.

'Damia, dw i'n nabod hwnna,' medde fi. 'Mae o'n gweithio yn y ffair, ar y Waltzer. Wn i ddim be ydy ei enw iawn o. Jock maen nhw'n ei alw fo. Weles mo'r llall o'r blaen.'

'Sgotyn,' meddai Guto.

'Deg allan o ddeg,' medde fi'n ddilornus.

'Elementary,' meddai Guto a chodi ei ysgwyddau.

'Fedri di weld pwy sy yn y car?' holodd Delyth.

'Na fedra, ond fetia i mai'r Lenny boi yna oedd o. Os yden nhw'n pedlo'u stwff yn fan hyn, dyden nhw'n poeni fawr pwy sy'n eu gweld nhw,' medde fi.

'Ia, ond dyden nhw ddim yn gwerthu'n uniongyrchol, yden nhw?' meddai Delyth.

Gadawodd y Corsair yn fuan wedyn ac aeth y ddau ddyn i mewn i'r clwb.

'Yden ni'n mynd i mewn rŵan?' holodd Guto eto. 'Mi ydw i wedi plygu fel babi yn y groth yn y cefn yma.'

Cododd Delyth i ryddhau coesau hirion Guto ac i mewn â'r tri ohonon ni i'r clwb heibio'r bownsars wrth y drws. 'Jest watsia'r ddau foi yna,' ychwanegodd Delyth.

Eisteddodd y tri ohonon ni yn un o'r seddau crwm moethus. Safai Jock a'i bartner yn agos at y drws, a doedd dim gormod o bobl i'n rhwystro rhag eu gweld yn reit glir. Doedd fawr o awydd dawnsio ar yr un o'r ddau, yn ôl pob golwg. Taniodd Jock sigarét a phwyso yn erbyn y wal a sganio'r dorf eithaf sylweddol oedd yn yr ystafell erbyn hyn. Yn sydyn, diffoddodd ei sigarét mewn soser lwch gyfagos a throi tua'r tŷ bach. Aeth dau ddyn arall ar ei ôl. Roeddwn i'n rhyw frith adnabod un ohonyn nhw.

'Amser i ti fynd i'r lle chwech, dw i'n meddwl,' meddai Delyth.

'Pwy – fi? Dw i ddim isio pisied,' medde fi. Roedd Guto wedi mynd at y bar.

'Wyt,' meddai Delyth ac edrych yn syth i'n wyneb i. 'Fedra i ddim mynd i'r lle dynion.'

'O, olréit,' medde fi'n anfoddog a chodi. Cerddais ar draws yr ystafell. Gwyddwn fod partner Jock yn gwylio pob cam.

Agorais ddrws y lle chwech. Daeth un o'r ddau ddyn aeth yno o mlaen i allan heibio i mi yn reit frysiog. Roedd y llall – hwnnw roeddwn i'n hanner ei adnabod – yn dod allan o un o'r tri bwth tŷ bach ac aeth i olchi ei ddwylo yn y sinc.

'Su'mai,' medde fo wrth sychu ei ddwylo, yn amlwg yn fy nghofio i o rywle neu fase fo ddim wedi nghyfarch i yn Gymraeg.

'Su'mai,' medde fi a throi at y fowlen i biso a mynd at y gwaith mor gredadwy ag y gallwn i. Doedd dim sôn am Jock. 'Sut ydw i'n dy nabod di, dywed?' medde fi â nghefn ato gan wynebu'r wal, ond roedd o wedi mynd. Gallwn orffen fy smalio piso. Roedd tri bwth tŷ bach a'r un canol â rhywun ynddo fo; Jock, dybiwn i. Daeth chwibanu ysgafn oddi yno fel rhywun wrth ei waith. Wrth gamu yn ôl gallwn weld traed o dan y drws. Troais i olchi fy nwylo. Daeth rhywun arall i mewn a mynd yn syth at y bwth pellaf heb edrych arna i. Roedd y chwibanu'n parhau ond stopiodd yn sydyn. Clywais gnoc ysgafn o'r bwth wedyn. Yn sydyn daeth partner Jock i mewn a sefyll wrth y drws. Edrychodd yn syth ata i a barnais mai doeth fyddai sychu fy nwylo'n gyflym a gadael. Doedd trafferth mewn toiled ddim ar fy agenda i heno. Doedd o ddim yn edrych fel y person mwyaf cyfeillgar chwaith, clamp o foi a phloryn amlwg ar ei drwyn. Gadewais a mynd yn ôl ac eistedd wrth Delyth. Roedd Alfie wedi cyrraedd erbyn hyn.

'Wel?' holodd hi.

'Ti'n gwybod y teimlad yna?'

'Pa deimlad?'

'Y teimlad dy fod ti yn y lle rong ar yr adeg rong. Wel, dyna sut oeddwn i'n teimlo yn fan'ne. Ti'n dda iawn am f'anfon i i ffau'r llewod, on'd wyt?'

'A be ddigwyddodd?'

'Taswn i isio cyffuriau, dyna lle baswn i'n mynd i'w cael nhw.'

'A …?' meddai Delyth yn ddiamynedd. '*Spit it out*, fachgen.'

'Roedd Jock, hwnna aeth i'r lle chwech, yn eistedd yn y ciwbicl yn chwislo.'

'Mae rhai'n chwislo wrth gachu, wsti,' meddai Guto, oedd wedi dychwelyd o'r bar.

'Ond doedd o ddim yn cachu, greda i,' medde fi.

'Sut wyt ti'n gwybod?' holodd Guto eto.

'Doedd ei drowsus o ddim rownd ei sgidie fo. Mi fedrwn i weld dan y drws. Mi ddaeth yna foi arall i mewn wedyn a mynd i'r ciwbicl drws nesa. Mi glywes i o'n cnocio ar y wal. Dyna lle mae'r dêls yn digwydd.'

'Rêl gwaith ditectif, e?' meddai Alfie yn ddilornus. 'Sut un oedd y boi arall yna?'

'Un mawr a chlamp o bloryn ar ei drwyn.'

'Ross, un o'r Scammells. Roedd o'n un o rheini ddaeth i mewn i fygwth Joe. Ddim yn neis, yn ôl Joe. Snoz mae pawb yn ei alw fo oherwydd y ploryn yna ar ei drwyn.'

Ar y gair daeth drwy ddrws y tŷ bach ac yn ôl i'w safle ger y drws. Edrychodd yn syth aton ni. Roeddwn i'n meddwl iddo fo wenu ond roedd hi'n anodd dweud gan fod y golau'n isel yn y gornel honno a dim ond ambell fflach amryliw yn disgleirio ar ei wyneb.

'Mae'r bastard yna'n rhoid y crîps i mi,' medde fi.

'Tyrd. Awn ni i ddawnsio,' meddai Delyth. Roeddwn i'n falch o fynd o'r golwg i blith y dorf ar y llawr dawnsio. Y Scaffold oedd yn canu – 'Lily the Pink'. Fyddai dim rhaid i mi arddangos sgiliau dawnsio soffistigedig.

Erbyn i ni ddychwelyd roedd y Ploryn wedi mynd. 'Mae'r ddau wedi gadael,' meddai Guto. 'Gawn ni beidio meddwl am y Scammells am dipyn rŵan?

'Whiw!' medde fi. Gallwn i ymlacio.

Gyda hynny daeth cwpwl ifanc aton ni yn y gadair grom. 'These seats taken?' holodd y ferch.

'Carry on,' meddai Delyth, ac eisteddodd y ddau yn ddigon tawel, yn amlwg yn anghyfarwydd â'u hamgylchfyd. Llipryn tal, tenau, eithaf hipi yr olwg â gwallt hir oedd o, a hithau'n denau ond yn siapus. Roedd rhywbeth arbennig o rywiol amdani, er na fasech chi'n ei galw hi'n bert fel y cyfryw, ond roedd y pantiau a'r chwyddiadau i gyd yn y lleoedd iawn. Cododd y dyn ifanc.

'Martini?' gofynnodd iddi.

Nododd hithau.

Gwenais yn ddigon diniwed arni ar ôl iddo fynd. Gwenodd hithau yn ôl yn ddigon poléit. Eisteddai yno'n dalsyth â bandana am ei phen, yn araf ymgartrefu yn y sefyllfa. Ymgartrefodd ymhellach pan glywodd ni'n siarad.

'Chi'n siarad Cymraeg, y'ch chi?' meddai hi a phwyso ymlaen yn ddigon hyderus i'n cyfeiriad ni gan arddangos y bronnau swmpus oedd ganddi.

'A chi?' medde fi â pheswch bychan.

'Odyn, ni yma ar ein gwyliau o Sir Benfro 'da Mam a Dad. Ni'n dod 'ma bob blwyddyn.

'O ia,' medde fi, yn dechrau magu diddordeb.

'Ni'n aros mewn bwthyn yn Henllan. Mae hi'n itha boring yn y pentre 'na ar nos Sadwrn. Ni wedi clywed am y lle hyn, so fi a mrawd wedi dod draw i gael sbec. Mae'n olréit man hyn, on'd yw hi,' meddai hi â gwên, gan godi ei llais uwchben y gerddoriaeth. Roedd fy nghalon i'n toddi, yn arbennig gyda'r gair 'mrawd' a achosodd i mi roi sylw manylach iddi yn sydyn.

'Ydy,' medde fi. Dyna'r cwbwl ddwedes i.

'Ti moyn danso?' holodd hi.

'Iawn. Ond be am ...?' medde fi, yn cyfeirio at y brawd oedd wedi gadael am y bar.

'Fydd Ceri yn iawn. Edrychwch ar ei ôl e pan ddaw e 'nôl, bois, wnewch chi?' meddai hi.

'Dim probs,' meddai Guto a rhoi winc ddichellgar arna i wrth i mi gael fy nhywys at y llawr dawnsio.

'Dydy o ddim yn Gene Kelly, cofia,' meddai Delyth.

'Beth yw'r ots?' meddai hi. 'Fi ar fy ngwyliau.'

Roedd y tri ohonyn nhw'n wên o glust i glust.

'Cyn i ni ddechrau dawnsio,' medde fi, 'be 'di dy enw di?'

'Miriam,' meddai hi. A dechreuodd Marvin Gay ganu. Doedd fawr o bwynt siarad wedyn. Ddawnsiais i na hi â neb arall weddill y nos. Cefais sws go danbaid ganddi ar ôl y ddawns olaf hefyd, i gyfeiliant '*Je t'aime*'. Roedd griddfan Jane Birkin yn y gân yn achosi i'r hylifau cariadus lifo'n gyflymach. Roedd hunanhyder ym mhob gewyn oedd gan Miriam. Am ryw reswm roedd y gair 'jacpot' yn dod i'n meddwl i. Roedd hi wedi taflu'r abwyd i'r dŵr ac roeddwn i wedi llyncu'r bachyn yn llawn.

A dyna oedd dechrau'r berthynas.

Erbyn diwedd y noson roeddwn i'n gwybod tipyn amdani: ei thad a'i mam yn ddoctoriaid a hithau a'i brawd yn fyfyrwyr, y fo yn Rhydychen a hithau ym Mryste yn astudio seicoleg, yr un oed â fi. Beth oedd yn bwysig oedd ein bod ni wedi sicrhau nad oedd yna unrhyw berthynas a allai amharu ar ddatblygiad unrhyw berthynas a gaem ni, a hefyd ein bod wedi trefnu i gyfarfod y nos Lun wedyn. Byddwn yn ei chasglu o Henllan. Y pictiwrs oedd y bwriad, gyda *Midnight Cowboy* yn y Plaza.

Gadawodd hi gyda'i brawd ddiwedd y noson. Tybiwn efallai fod fy nghyfnod hesb wedi dod i ben, am y tro o leiaf.

Roeddwn i wedi anghofio'n llwyr am y gwaith ditectif. Chwydodd pawb o'r clwb i awyr gynnes y nos tuag un o'r gloch. Roedd y Corsair du yn y maes parcio unwaith eto. Daeth atgof o wyneb y Ploryn i mhen i'n sydyn. Wyddwn i ddim a oedd angen hynny, ond gallwn guddio ymhlith y bobl er mwyn cyrraedd y car. Roedd Delyth yn cael lifft gan Alfie, oedd yn byw nid nepell oddi wrthi. Roedd Guto wedi darganfod hen gariad ac yn bwriadu cerdded adref efo hi; doedd eu cartrefi ddim yn bell iawn o'r clwb. Gadewais y maes parcio, gan wneud yn siŵr nad oedd neb yn fy nilyn.

Y bore wedyn y clywais i fod rhywun wedi ymosod ar Guto wedi iddo hebrwng y ferch i'w chartref.

Pennod 6

'Be gythrel ddigwyddodd i ti?' medde fi wrth gerdded i mewn i'r lolfa yn nhy Guto y Sul wedyn lle gorweddai Guto ar y soffa. Roedd ei fraich mewn sling, craith amlwg ar ochr ei wyneb a bwlch amlwg yn ei ddannedd.

'Rhyw ddiawl wedi'n mygio fi ar y ffordd adre neithiwr.'

'Ti'n olréit?'

'Ydw.'

'Ti ddim yn edrych yn olréit.'

'Diolch.'

'Be am y sling?'

'Mi fydd y fraich yn iawn, yn ôl y doctor yn yr Alex. Newydd ddod yn ôl ydw i. Wedi torri asen. Allan nhw neud dim byd am honno. Yn mynd at y deintydd fory.'

'Wedi sbwylio dy gwd lwcs di.'

'Mae'r pethe 'ma'n digwydd,' meddai Guto a chodi ei ysgwyddau.

Pa mor athronyddol oedd Guto, roedd hi'n anodd dweud.

'Welest ti pwy oedd o?'

'Dim syniad. Mi ddeffres yn eistedd ar 'y nhin ar lawr. Yn cofio dim byd. Rhaid bod y bastard wedi rhoi cic i mi yn f'asennau ar ôl i mi syrthio, a'i fod o wedi dod o'r tu ôl i mi a gwneud hyn.' Gwenodd Guto i arddangos ei ddannedd bylchog.

'Ti'n meddwl bod hyn rywbeth i'w wneud efo'r Scammells?' holais i.

'Falle, falle ddim,' oedd sylw Guto.

'Synnwn i ddim mai hwnnw â'r ploryn oedd o,' medde fi. 'Mi oedd o'n edrych yn syth at ein grŵp ni. Synnwn i ddim ei fod wedi'n gweld ni'n cyrraedd yn y car.

'Ti'n gweld yr hogan 'na eto?' holodd Guto, yn newid y pwnc at faterion llai poenus.

'Fory,' medde fi. 'Dw i'n ei chodi hi o Henllan ar ôl gwaith.'

'Brief encounter?' holodd Guto.

'Gawn ni weld,' medde fi.

*   *   *

'Andros o ffilm dda,' medde fi wrth Miriam yn y car, oedd wedi parcio ar y Stryd Fawr, ar ôl i ni ddod allan o'r Plaza – ddim ein bod ni wedi gweld rhyw lawer o Dustin Hoffman a John Voight. Ar ôl inni eistedd yn un o'r seddau cefn yn y galeri, roedd hi wedi cordeddu ei choes am f'un i a chlosio ata i. Roedd y gusan ges i wedyn yn un hynod flysiog.

'Ti isio mynd am beint i rywle?' holais i.

'O, fi'n meddwl mynd rywle arall.'

'Fel ble?'

'Jest rhywle tawel,' meddai hi gan edrych yn syth i'n llygaid i a rhoi cusan ysgafn ar fy moch.

'Bobol annwyl!' meddylies i.

'Sdim lot o amser 'da ni, oes e? Fi'n mynd gartre dydd Mercher. Waeth i ni *cut to the chase*. Mae Dadi'n hynod oleuedig yn hyn o beth,' ychwanegodd hi'n eithaf ffurfiol. 'Ma fe'n mynnu bo fi ar y *pill*.'

'Bobol annwyl!' meddylies i unwaith eto, ac eto wedyn pan gydiodd hi yn nolen lifer y gêr yn hynod awgrymog.

Taniais y car. Hyderwn na fyddwn i'n siomi. Doeddwn i erioed wedi cyfarfod merch oedd yn cymryd yr awenau mor ffyddiog â hon o'r blaen. Efallai mai dyma'r 'free love' roedd pawb wedi bod yn sôn amdano.

Sylwais ar Land Rover yn tanio'i injan a throi ei oleuadau ymlaen ryw dri char y tu ôl i ni, ond feddyliais i ddim byd ar y pryd.

Roedd gen i rywle mewn golwg, lle bûm i a fy nghariad gynt yn mynd i wneud beth oedd yn cael ei alw ar y pryd yn 'heavy petting'. Byddai hwn yn gyfle i mi fwrw ei hysbryd hi o mhen.

Roedd lloches dywyll yn y gilfach ddewisedig, a welson ni mo'r golau cerbyd yn diffodd i lawr y ffordd.

Doedd dim llawer o le yn y Mini ond rhaid fyddai gwneud y gorau o bethau. Llithrodd ei chorff tenau rhwng y ddwy sedd flaen i'r cefn yn hynod rywiol. Dilynais hi, dipyn yn llai gosgeiddig. Doedd dim angen unrhyw ymbalfalu blêr i ddadwisgo. Roedd hi ar flaen y gad yn dadwisgo ac yn agor botymau fy nghrys wrth i ni swsian yn ffyrnig. Agorodd hi fwcl fy ngwregys a gyda pheth ymdrech tynnais fy nhrowsus. Erbyn i mi lwyddo â'r gorchwyl hwnnw, roedd hi wedi tynnu ei dillad isaf ac yn noethlymun ysblennydd yn aros amdana i. Roeddwn ar fin mynd â'r maen i'r wal pan glywais ryw chwerthin tawel, mileinig y tu allan i'r car, a dechreuodd y car ysgwyd. Roedd rhywun yn ei siglo. Wedyn daeth hergwd sylweddol ar y to ac agorodd drws y Mini yn sydyn.

'You having a good time? Quite the lover boy, ain't yer?' daeth llais o'r tu allan. O fewn eiliadau roedd wyneb yn edrych arnon ni dros y ddwy sedd flaen. Allwn i ddim ei weld yn glir yn yr hanner tywyllwch ond gwyddwn yn iawn pwy oedd yno o'r ploryn ar ei drwyn.

'What the f...? Get out!' gwaeddais, yn ceisio bod mor wrol ag y gallwn i dan yr amgylchiadau. Mewn panig, taflais ddwrn yn y tywyllwch a methu. Roedd yr wyneb wedi tynnu yn ôl.

'Not nice, sonny. Not nice at all. I'll be gone in a minute, don't worry. Just a word, lover boy, that's all, and you can get on.' Roedd acen Lerpwl dew ganddo. 'You been a nosey little bastard, aven' yous. Keep your fuckin' nose out of other people's business. That's all. Got it? Bye bye.' A gyda'r geiriau roedd wedi diflannu i'r tywyllwch. Gallwn ei glywed yn chwerthin wrth ymbellhau o'r car.

'Did they shit themselves?' daeth llais arall ag acen Albanaidd.
'Probably,' meddai'r Ploryn.

Eisteddodd y ddau ohonon ni yn syn tan i ni glywed y lleisiau yn y pellter. Credwch neu beidio, roedd unrhyw awydd i ailymaflyd wedi hen fynd. Aeth Land Rover heibio mewn byr dro a chanu ei gorn wrth basio.

Gwisgodd y ddau ohonon ni'n frysiog wedyn. Roedd Miriam yn amlwg wedi cael braw ac roedd y profiad wedi bod yn dipyn o ysgytwad i mi hefyd. Fu fawr o siarad rhyngom ni ar y ffordd yn ôl i Henllan. Doedd dim pwynt ceisio egluro pwy oeddwn i'n amau oedd y dihiryn. Roedd ei hymarweddiad hyderus wedi'i gadael hithau am y tro.

'Sori am hynna,' oedd yr unig beth allwn i feddwl ei ddweud wedi i ni aros nid nepell o'r bwthyn lle roedd hi'n aros.

'Sai'n gwybod pa fyd dirgel ti'n byw yn'o fe, ond so fe'r byd fi'n nabod,' meddai hi.

'Dw i ddim yn ei nabod o chwaith,' medde fi. 'Dyna ni 'te?'

'Ie.'

'Cymer hwn,' medde fi ac ysgrifennu fy nghyfeiriad yn y brifysgol iddi ar sgrap o bapur o boced y car. 'Falle cawn ni orffen be ddechreuon ni rywbryd.'

'Falle,' meddai hi a derbyn y papur. Rhoddodd gusan ar fy moch a chodi i fynd allan o'r car. Gwyddwn fod y garwriaeth haf ar ben. Doedd dim trefniant i'w pharhau.

Ar y daith adre roedd wyneb y Ploryn wedi'i serio yn fy mhen. Roedd hi'n dechrau gwawrio arna i fod y byd mawr yn lle go fygythiol.

*   *   *

Dim ond Guto oedd yn y Vic y noson wedyn, yn eistedd efo'i beint a'i drwyn mewn llyfr a'i fraich yn y sling o hyd.

'Be ti'n ddarllen?' holais i.

'Kafka,' meddai Guto fel tase darllen y fath awdur mewn tafarn yn hollol normal. Wyddwn i fawr ddim am Kafka, dim ond ei fod o'n ysgrifennu llyfrau ofnadwy o ddwfn.

'O,' medde fi. ''Sgen ti amser i glywed hanes o'r byd hwn?' holais, dipyn yn goeglyd.

'Fire away,' meddai Guto a chau ei lyfr.

Cefais gyfle i rannu fy stori wedyn, ond wnes i ddim manylu ar unrhyw orchestion carwriaethol.

'Ti'n cofio be ddwedes i am roi ein bysedd yn y potes poeth yna?' meddai Guto ar ôl i mi orffen.

'Mi faswn i wrth fy modd yn tynnu mys i allan, Guto. Baswn wir, ond dw i'n teimlo fel taswn i yng nghanol y blydi peth. Mae'r holl beth yn eitha sbŵci. Ti, rŵan fi. Be nesa? Fedrwn ni ddweud wrth rywun?'

'Dweud be, ac wrth bwy?'

'Ia, am wn i,' medde fi. Roedd agwedd bragmatig Guto bob amser yn falm.

Daeth Delyth i mewn. Roedd ganddi gwmni.

'Dyma George,' meddai hi, yn cyfeirio at y gŵr golygus, heglog oedd yn sefyll wrth ei hochr. Roedd o'n dipyn hŷn na ni ond yn ddigon ifanc i fod yn ein cwmni. 'Mae o'n gweithio i'r *Daily Post,* yn gweithio yng ngogledd Cymru 'ma yn chwilota am straeon. Dw i'n ei nabod o Lerpwl, ac yn meddwl bod fan hyn yn lle da i ddechrau.'

'O,' medde fi a Guto. Roedd unrhyw syniadau oedd ganddon ni o fachu Delyth yn diflannu'n gyflym. Roedd hi'n amlwg bod mwy na pherthynas broffesiynol rhyngddyn nhw. Roedd gwep Guto yn bictiwr.

'Peint?' holodd George. Roedd hynny'n ofyniad da fel man cychwyn i berthynas.

A dyna sut y daeth aelod newydd i'n plith. Un o Lanfairfechan oedd o yn wreiddiol ac wedi symud i'r Rhyl yn ohebydd. Wrthi'n gorffen MA mewn Saesneg ym mhrifysgol Lerpwl oedd o pan wnaeth o gyfarfod â Delyth yn gyntaf. Roedd Delyth wedi dweud llawer o'n hanesion diweddar ni wrtho yn barod ac roedden ni'n ddigon parod i rannu unrhyw fanylion pellach. A dweud y gwir, roedden ni'n falch o gael dweud wrth rywun, ac roedd ei gysylltiad â Delyth yn ddigon i deilyngu'r ffydd barod a roesom ni ynddo. Roedd rhyw gryfder yn perthyn iddo ac roedden ni'n falch o'i groesawu i'n cwmni.

'Mae yna stori go lew yn datblygu fan hyn,' meddai.

'Ti'n dweud wrtha i, George,' medde fi. 'Jest bod ni ddim yn rhy hapus i fod yn rhan o'r stori.'

Rywbryd y noson honno clywson ni fod un o fois y ffair wedi'i guro'n ddidrugaredd a'i fod yn yr ysbyty. Fe'i darganfuwyd yn llechu dan y Waltzer gan un o'r garfan cynnal a chadw yn y ffair. Roedd amheuaeth mai un o fois y beics oedd yn gyfrifol ond doedd neb yn fodlon dweud. Y sôn oedd mai fo oedd yr un a werthodd y cyffuriau i Tosh. Fyddai neb yn poeni'n ormodol am ei gyflwr. Gadawodd George a Delyth yn fuan wedyn i ymweld â safle'r digwyddiad.

'Ti awydd mynd ar eu holau nhw?' medde fi wrth Guto.

'Dim peryg yn y byd,' meddai Guto yn bendant. 'Ac eistedda di i lawr yn fan'ne hefyd. Jest cofia am y bys yna yn y potes poeth.'

Derbyniais ei gyngor a challio. Roedd Tony Jacklin ar y newyddion yn y bar yn siarad am ei fuddugoliaeth yn y golff. Troais i wylio. Daeth hanes cymylau'n casglu yng Ngogledd Iwerddon wedyn. Roedd digon o gymylau'n casglu ar garreg fy nrws i, meddyliais.

Pennod 7

Gan fod y *clutch* wedi mynd ar ei gar o, roeddwn i wedi addo lifft adre o'i waith i Alfie y noson wedyn. Gallen ni fynd am beint i'r Bridge Club yr ochr arall i'r ffordd o'r Vic, lle nad oedd ymwelwyr yn debygol o fynd iddo. Clwb oedd yn llawer mwy llac o ran oriau cau na'r tafarnau oedd y Bridge. Roedd y ffaith fod plismyn yn galw i mewn yno am beint hwyrol ar ôl gorffen shifft yn hyrwyddo'r rhyddid a'r diffyg goruchwyliaeth oedd i'r lle. Doedd rheolau yfed a gyrru ddim mor llym ychwaith yr adeg honno. Roedd prawf chwythu i'r bag ar gael ond doedd fawr o ddefnydd ohono eto. Oddi yno es i i arcêd Mexico Joe tua hanner awr wedi deg y nos gyda'r bwriad o gasglu Alfie a mynd adre. Wrth imi fynd heibio tu blaen yr arcêds roedd eu goleuadau'n diffodd bob yn un a bwrlwm y prom yn gostegu. Roedd y tafarnau yn cau yn y dref a'r cwsmeriaid yn hwylio'n swnllyd i ddal y bysiau olaf i'r gwersylloedd carafannau. Roedd Alfie yn cau'r drysau am y nos.

Gwelodd fi a chwifio. 'Dipyn bach yn hwyr, sori. Joe wedi mynd adre ers hanner awr. Ddim yn teimlo'n dda, medde fo. Wedi gadael i mi gloi a throi'r goleuadau i ffwrdd ar ben 'yn hun. Blydi grêt! Cer rownd tu ôl i'r lôn fach. Ddo' i allan trwy'r drws cefn. Pum munud.'

'Iawn,' medde fi.

Roedd Joe a Consuela yn byw yn un o'r byngalos hynny yr ochr arall i'r tracs. Fe fuon nhw'n byw yn y fflat uwchben yr arcêd am gyfnod tan i Consuela benderfynu ei bod hi am fod allan o'r bwrlwm a byw yn fwy sidêt. Fu hi erioed yn ffan mawr o fusnes yr arcêds. Roedden nhw wedi rhentu'r fflat wedyn i rywun o'r enw Les, oedd yn gweithio'n trwsio bwths tynnu lluniau. Doedden nhw byth yn ei weld o. Roedd yn mynd ac yn dod i fyny'r ddihangfa dân yn y cefn. Tipyn o feudwy oedd Les, ond roedd yn talu ei rent yn rheolaidd a doedd dim trafferth efo fo.

Roedd gan Joe gar, Ford Capri oren eithaf swanc, ac yn hwnnw y dôi i'w waith. Gallai barcio yn y gilfach oddi ar y lôn fach oedd y tu ôl i'r arcêd. Roedd hi'n syndod gen i weld y car yno pan droais i i mewn i'r gilfach. Parciais tu ôl iddo. Gallwn i weld bod rhywun yn y car. Doedd y drws ddim wedi'i gau yn iawn.

'Fydda i o 'ma mewn munud, Joe,' medde fi wrth godi o'r car. Roeddwn i'n rhyw hanner ei adnabod o drwy Alfie. Diffoddais yr injan a golau'r car. Doeddwn i ddim am i Joe feddwl mod i'n ei gau o i mewn yn y gilfach. Roedd rhyw flewyn o olau yn dod o ffenest gyfagos. Ddaeth dim ymateb oddi wrth Joe. Curais ar ffenest y car. Dim ymateb eto. Roedd Joe'n plygu ymlaen a'i ben ar yr olwyn.

'Chi'n olréit, Joe,' medde fi.

Dim ymateb.

'Blydi hel, mae o wedi cael harten,' meddyliais i. Mentrais agor y drws. Daeth chwa o rywbeth oedd yn f'atgoffa o ymweliad â'r deintydd ata i. Symudais ei gorff, ond cwympodd Joe yn ôl yn y sedd, ei freichiau'n llipa bob ochr iddo a'i ben yn lolian yn ôl a'i geg yn llydan agored. Dyna pryd welais i'r twll aflêr yn ei lygad a diferion y gwaed i lawr ei foch dde. 'Ffy…' medde fi, a chyn i mi orffen fy rheg mi syrthiais ar fy nhin ar lawr mewn braw. Agorodd drws cefn yr arcêd uwchlaw'r llecyn parcio. Roedd Alfie ar ei ffordd. 'Paid â dod i lawr. Ffonia'r ambiwlans a'r polîs, mae rhywbeth wedi digwydd i Joe,' medde fi.

'Be ti'n feddwl?'

'Jest ffonia nhw, da chdi. Rŵan! Dw i'n meddwl 'i fod o wedi marw,' sgrechiais.

Trodd Alfie i agor y drws er mwyn cyrraedd ffôn. Fe godais i'n araf i edrych eto. Roedd Joe yn hollol ddisymud. Roedd o'n farw gelain. Closiais ato unwaith eto yn betrus. Gallwn weld gwn bychan ar lawr y car wrth ei law dde. Roedd arogl y deintydd wedi diflannu i awel gynnes y nos.

Pan gyrhaeddodd yr heddlu ac wedyn yr ambiwlans, roedd Alfie a fi'n eistedd ar y biniau gerllaw. Roedd Alfie wedi gweld beth welais i, ac eisteddai yno'n hollol dawel yn edrych yn anghrediniol ar Joe. Gallwn weld ei wyneb gwelw a'r dagrau'n cronni yn ei lygaid yng ngolau ceir yr heddlu. Plygodd yn sydyn a chwydu'n chwyrn wrth ei draed. Roedd hon yn mynd i fod yn noson hir.

Roedd hi'n dair awr cyn i ni allu gadael swyddfa'r heddlu y noson honno ar ôl inni draddodi ein hanes. Diolch i'r drefn fod Godfrey yno, i ni gael rhyw wyneb cyfarwydd i'n cyfarch a chymryd datganiad ganddon ni. Soniais am yr arogl yn y car. Ysgrifennodd Godfrey rywbeth i lawr. 'Cordeit, synnwn i ddim,' meddai. Soniais i mi weld y gwn ar lawr y car hefyd. Ysgrifennodd Godfrey eto. Doedd dim y fath beth ag ymgeledd trawma ar y pryd, dim ond paned o de. Daeth y Rasel ei hun o'i wely; roedd y digwyddiad wedi gwarantu hynny. Mynnodd ein rhyddhau tua hanner awr wedi un, wedi i ni arwyddo ein datganiadau a chytuno i gyfweliadau pellach maes o law. Roedd fy meddwl i'n chwyrlïo gormod i ddarllen y peth yn iawn. Byddai peint yn y Bridge wedi bod yn ymgeledd ond roedd hi'n rhy hwyr hyd yn oed i'r fan honno. Cytunais i ymweld â Consuela efo Alfie y diwrnod wedyn – gorchwyl nad oeddwn i'n edrych ymlaen ati. Roeddwn i'n llawn edmygedd o'i gryfder meddwl o; wedi'r cwbwl, mi oedd o dipyn agosach at Joe nag oeddwn i. Roedd o'n eithaf sigledig yn mynd at ei ddrws ffrynt ond cododd ei fawd arna i cyn mynd i mewn.

Es adre ac i mewn i'r tŷ yn dawel yn ôl fy arfer rhag tarfu ar fy rhieni. Chysgais i ddim llawer. Roedd y darlun o'r twll ym mhen Joe wedi'i serio yn fy ymennydd. Byddai'n rhaid i Don wneud hebdda i yn y bore ond roedd esgus go lew gen i.

Roedd plismones a'r ddynes drws nesa yn eistedd efo Consuela pan gyrhaeddon ni. Casa Mía oedd enw'r byngalo ac roedd camu iddo fel camu i *casa mía* go iawn ym Mecsico. Eisteddai

Consuela ar y soffa yn crynu. '*Por qué, por qué*?' oedd yr unig beth a ddôi o'i genau wrth iddi siglo yn ôl ac ymlaen ar y soffa. Gwyddwn mai 'pam, pam? oedd ystyr y geiriau. Roedd gweld Alfie yn rhywfaint o gysur iddi ac fe'i cofleidiodd yn hir a dagreuol. Roedd ganddi fwy o Gymraeg nag o Saesneg, ac er iddi wneud ymdrech lew i ddysgu, dim ond pytiau oedd ganddi o hyd. Cymraes oedd y ddynes drws nesa. 'O, fi *triste*, Alfie, fi *triste* iawn. *Por qué, por qué*?' Ni allai Alfie gynnig ateb i'r cwestiwn. Doedd gan y blismones ddim mwy o atebion i ni chwaith. '*Quiera que venda*. Fi isio Joe gwerthu. Fi wedi dweud,' meddai Consuela'n ffyrnig. 'Fi *sola* rŵan.'

'Na, ti ddim *sola* rŵan, Consuela. Fi yma,' meddai Alfie cyn iddi hi ddechrau beichio crio unwaith eto.

Wn i ddim sut llwyddon nhw i dorri'r newyddion drwg i Consuela. Yr unig beth allai Alfie ei wneud oedd cydio yn ei llaw tra edrychai hi'n syn ar y llawr yn dal i siglo ac igian crio. Roedd Rhyl yn mynd i fod yn lle unig iawn iddi heb siaradwyr ei mamiaith. Canodd cloch y drws ac es i'w ateb. Roedd yr offeiriad wedi cyrraedd, oedd yn rhyddhad mawr i mi. Gallem ddianc. Roedd rhyw lun o Sbaeneg o'r ysgol ganddo, a fyddai'n gymorth mawr.

Fel roedden ni'n gadael, cododd Consuela ei golygon at Alfie ac edrych yn ymbiliol ato. 'Ti *organizar*, Alfie. *Por favor organice*. Ti *jefe*.'

'*Jefe*?' holodd Alfie.

'Ti dyn bòs,' meddai hi.

'OK, Consuela,' meddai Alfie, a gyda'r 'OK' hwnnw disgynnodd cyfrifoldeb mawr ar ei ysgwyddau, un a fyddai'n trawsnewid ei fywyd. Bu farw'r jocar o hogyn y munud hwnnw.

Es i yn ôl i'r gwaith erbyn y prynhawn. Byddai'n rhaid cael seiat arbennig y noson honno.

Mi ddywedson ni'r hanes i gyd yn y Vic wrth Delyth a Guto, a'r bwlch yn ei ddannedd yn amlwg o hyd. Gwyddwn y byddai Delyth wedi cael fersiwn swyddogol yr heddlu ond roedd hi'n awyddus i gael rhin y fersiwn bersonol ganddon ni. Fi wnaeth y rhan fwyaf o'r siarad. Roedd Alfie yn anghyffredin o dawedog.

Daeth Godfrey i mewn. Prynodd beint a dod aton ni. 'Chi'n OK, bois?' meddai ac eistedd wrth ein bwrdd. Teimlai rywfaint o gyfrifoldeb drosom. 'Be ddigwyddodd i ti?' gofynnodd i Guto.

'Rhyw ddiawl wedi rhoi clusten i mi ar y ffor' adre o'r Marina y noson o'r blaen.'

'Wyt ti wedi'i reportio fo?' holodd Godfrey.

'Naddo. I be? Does gen i uffern o ddim syniad pwy oedd o. Weles i mohono fo'n dod. Neb arall o gwmpas. Be wnewch chi? Dw i'n iawn rŵan,' meddai Guto a chodi ei ysgwyddau'n athronyddol, fel arfer.

'Unrhyw newydd am Joe?' holais i.

'*Open and shut suicide* o be welwn ni, ond dydy hynny ddim yn swyddogol eto. Y gwn wedi dod o Mecsico. Rhaid 'i fod o wedi dod â'r peth yn ôl efo fo o fan'no. Fel rhywbeth chi'n weld ar ffilmie cowbois. Derringer. Dim leisens iddo fo. Wyddet ti amdano fo, Alfie?'

Nid atebodd Alfie, dim ond codi ei ddwylo mewn ystum o anwybodaeth. Roedd yn driw iawn i'w feistr, hyd yn oed os oedd hwnnw ar ei ffordd i'w fedd.

Gadawodd Godfrey ni wedyn a throi at ei gyfeillion arferol wrth y bar. Roedd terfyn ar y cysur y gallai ei gynnig i ni.

Guto holodd, 'Ble oedd y gwn yn union?'

'Ar y llawr wrth ei droed o,' atebais i.

'Pa droed?'

'Ei droed dde o.'

'Pa lygad oedd o wedi'i saethu?'

'Ei lygad dde o,' medde fi.

'Pa law oedd Joe?' gofynnodd Guto i Alfie wedyn.

'Llaw chwith,' atebodd Alfie. 'Roedd o bob amser yn cwyno nad oedden nhw'n gwneud bandits i bobol llaw chwith.'

'Chi ddim yn meddwl bod hynny braidd yn od?' parhaodd GT ar ôl meddwl am ychydig. 'I ddechrau, os ydw i'n mynd i saethu fy hun, dw i'n siŵr mai reit yng nghanol fy nhalcen faswn i'n pwyntio,' meddai a rhoi ei fysedd uwchben ei drwyn ar siâp gwn. 'Hefyd, taswn i'n mynd i saethu fi'n hun mi faswn i'n defnyddio'n llaw orau. Ac os am saethu yn y llygad, faswn i ddim yn mynd yr holl ffordd rownd i saethu yn y llygad bella o'n llaw orau i chwaith.'

'Blydi hel,' meddai Alfie. 'Be mae hynny'n feddwl?'

'Na, ddim lladd ei hun wnaeth Joe. Mi soniest ti fod yna oglau od yn y car pan agorest ti'r drws.'

'Do. Oglau dentist.'

'Clorofform, pan wyt ti'n cael tynnu dant. Dw i'n eitha cyfarwydd ag oglau deintydd,' meddai Guto â gwên i amlygu ei ddannedd bylchog.

'Ia, 'na fo.'

'Fase rhywun ddim yn medru troi ei wn ei hun ar rywun fel Joe heb uffern o baffio. Pwy arall fase'n gwybod am y gwn yna heblaw amdanat ti, Alfie?' parhaodd Guto.

'Roedd Hilda sy'n gweithio yn y bwth rhoi newid weithiau wedi'i weld o. Mi oedd Joe wedi'i adael o yno un diwrnod. Mi ddwedodd hi wrtha i ei bod hi wedi dod o hyd iddo fo wrth chwilio dan y cownter am fagiau pres. Mi wnes i ei siarsio hi i beidio deud, ond Duw a ŵyr. Mae yna ddynes sy'n dod i lanhau bob yn eilddydd – Millie. Synnwn i ddim na chafodd hi wybod hefyd. Faswn i'n trystio dim arni hi.'

'Ti'n un da i siarad,' meddai Delyth braidd yn grafog.

'Be ti'n feddwl?' meddai Alfie, yn teimlo brath yn y sylw.

'Wel, mi ddwedest ti wrthon ni.'

'Do, ond mae hynny'n wahanol,' meddai Alfie. 'Beth bynnag, mi ddwedes i bob dim wrthoch chi yn conffidensial ond mi est ti i chwilota ar ôl y Scammells wedyn, on'd do?'

Aeth pawb yn dawel am eiliadau hir er mwyn i'r tensiwn ostegu.

'Nhw wnaeth, chi'n meddwl?' holodd Delyth ar ôl tipyn.

'Wn i ddim ond un peth dw i'n ffycin siŵr ydy na fase Joe wedi lladd 'i hun,' meddai Alfie'n chwyrn. 'Doedd o erioed yn gachwr. Fase fo byth wedi gadael Consuela fel hyn. Mi oedd lot o bethe'n ei boeni o, oedd, ond lladd ei hun, no wê!'

'Sut fath o bethe?' holodd Delyth.

'Dw i'n gwybod bod rhyw gwmni isio prynu'r lle oddi arno fo, a fo ddim am werthu. Yr arcêd oedd ei bensiwn o, medde fo.'

'A bod y Scammells yn rhoi pwysau arno fo drostyn nhw, ti'n meddwl?' holodd Delyth.

'Ia, am wn i, ond dim ond hanner y stori dw i'n wybod. Mi ddangosodd o lythyr i mi gan ryw gwmni o'r enw Kelly Holdings. Roedd y ffigwr yn £17,500.'

'Gymaint â hynny, a dal ddim am werthu,' medde fi.

'Diddorol,' meddai Delyth yn feddylgar. 'Ti isio peint?'

'OK, Lager Wrecsam os wyt ti'n cynnig.' Roedd y tensiwn wedi'i dorri.

Pennod 8

Y bore wedyn, cyn i Alfie godi, galwodd yr heddlu heibio'i dŷ a gofyn iddo fynd i lawr i'r orsaf efo nhw. Daethon nhw draw i'n nôl i hefyd. 'Jest cwpwl o gwestiynau, dyna'r cwbwl, Mrs Williams,' meddai Sarjant Lloyd wrth Mam wrth i mi fynd i lawr y llwybr at y car Panda oedd yn aros, gydag Alfie yn edrych yn reit llywaeth yn y cefn. Doedd Mam ddim yn edrych yn rhy hapus chwaith. Diolch i'r drefn fod Dad wedi mynd i'w waith.

'Be gythrel maen nhw isio efo ni heddiw? Mi yden ni wedi rhoi stetment iddyn nhw neithiwr,' meddai Alfie wrtha i tra eisteddai'r ddau ohonon ni yn yr ystafell ar gyfer cyfweliadau.

'Manylion, am wn i,' medde fi, yn ceisio bod yn bositif am bethau. Roedd yr ystafell yn union fel y rhai hynny welais i yn *Z-Cars* gyda bwrdd o'n blaenau a chadair yn aros i Insbector Barlow ddod i mewn a rhoi uffern o stid i ni. 'Jest dal dy ddŵr a paid â mynd i blabio am y pethau yden ni wedi bod yn siarad amdanyn nhw yn y Vic.'

'OK,' meddai Alfie. 'Gobeithio fyddwn ni ddim yn hir. Mae'n rhaid i mi agor yr arcêd. Fi sy â'r goriade rŵan. Ti'n meddwl bod rhywun yn edrych arnon ni yn fan hyn?' meddai wedyn, yn cyfeirio at y ffenest oedd gyferbyn â ni.

'Ti wedi gweld gormod o ffilmie ditectif,' medde fi.

Agorodd y drws a daeth y Rasel ei hun i mewn ac eistedd gyferbyn â'r ddau ohonon ni. Edrychodd o ddim ar yr un ohonon ni i ddechrau, dim ond agor ffeil roedd o wedi ei chario i mewn heb ddweud gair. Roedd hwn, fel ein hen brifathro, yn arbenigwr ar sut i godi ofn a rheoli ei sefyllfa.

Cododd ei olygon o'r ffeil. 'Diolch am ddod i mewn, fechgyn,' meddai, yn ddigon cwrtais. 'Jest angen clirio rhyw un neu ddau o bethau, gan mai chi'ch dau ddaeth o hyd iddo fo,' ychwanegodd â rhyw hanner gwên.

'Iawn, Mr Roberts,' medde fi, yn ceisio pwysleisio'r ffaith mod i'n ei adnabod o o'r capel.

'Cwnstabl Jones wedi dweud bod ti wedi ogleuo rhywbeth yn y car pan ddest ti o hyd Joe.'

'Ogleuo rhywbeth tebyg i'r oglau mewn lle deintydd,' medde fi.

'Hollol siŵr am hynny?'

'Wel, ydw. Roedd yna oglau rhywbeth yn y car.'

'Ddim oglau mwg y gwn – cordeit?'

'Wn i ddim. Dw i erioed wedi ogle cordeit.'

'Yn union,' meddai'r Rasel. Roeddwn i'n gallu teimlo'r gwres yn dechrau codi yn Alfie wrth fy ochr. 'Waeth i ni heb â mynd ati i godi bwganod.'

'Be chi'n feddwl?' holodd Alfie yn sydyn.

Nid atebodd y Rasel, dim ond edrych yn syth i wyneb Alfie. 'Oeddet ti'n gwybod am y gwn yna oedd ganddo fo o Mecsico, Alfie?'

'Nac oeddwn,' atebodd Alfie yn bendant.

'Sut stad o feddwl oedd ar Joe cyn iddo fo saethu'i hun?'

'Mi oedd o'n olréit. Mi oedd o dan bwysau ond mi oedd o'n olréit. Y cwbwl wn i ydy na fase fo byth wedi gwneud y fath beth. Doedd o ddim yn gachwr. Rhywun arall wnaeth,' meddai Alfie yn chwyrn.

'Mae hynny'n ddweud mawr, hogyn,' meddai'r Rasel â rhyw dinc braidd yn nawddoglyd yn ei lais. 'Roedd bagiau pres wrth ochr Joe yn y car. Neb wedi cyffwrdd rheini. Felly, dim lladrad fel rheswm.'

'Mi oedd o'n gollwng nhw yn sêff nos y banc bob nos ar ei ffordd adre. Fase fo ddim wedi'u rhoi nhw yn y car tase fo'n bwriadu lladd 'i hun, yn na fase,' ymatebodd Alfie.

Gwasgais fy nhroed ar droed Alfie iddo gau ei geg.

'Mi fydd rhaid i ni gadw'r bagiau yma am y tro,' meddai'r Rasel yn bwyllog. 'Oeddet ti'n gwybod am y gwn yna?' holodd y Rasel eto. 'Mendoza PK-62-3 Derringer,' meddai wedyn wrth edrych ar ei ffeil. 'Gwn eitha anarferol i'r parthau hyn. Wedi dod efo fo o Mecsico, greda i. Dim trwydded.'

'Nac oeddwn,' meddai Alfie yn bendant. 'Y cwbwl wn i ydy na fase Joe wedi'i ddefnyddio fo arno fo'i hun, ei wn o neu beidio. Tase fo wedi'i ddefnyddio fo ar un o'r Scammells yna, faswn i ddim wedi gweld bai arno fo. Mi ydech chi'n gwybod yn iawn be sy'n digwydd rownd y dre 'ma.'

Roeddwn i'n gwasgu'n galetach ar droed Alfie ond doedd o'n gwneud dim gwahaniaeth. Roedd o wedi dechrau codi stêm. 'Mae'r Scammells wedi bod yn ei lordio hi rownd y dre 'ma fel y blydi Maffia a chi'n gwneud bygar ôl amdanyn nhw. Maen nhw'n sugno pres gan bawb ar y prom a doedd Joe ddim yn fodlon talu. Mi oedd digon o gyts ganddo fo i ddeud "na", a dyna pam mae o wedi marw, a ddim fo wnaeth.'

Gwrandawodd y Rasel yn dawel ac yn astud ar bregeth danbaid Alfie. Doedd o ddim yn mynd i ymateb. 'Wedi gorffen rŵan?' meddai. 'Bois bach, mae gynnoch chi lot i'w ddysgu, on'd oes? Pan yden ni'n cael cwyn neu hysbysiad mi yden ni'n ymateb. Ond does dim cwyn na hysbysiad wedi dod aton ni, felly does dim ymateb. Allwn ni ddim ymyrryd ym musnes pobl heb achos teilwng. Mae eisiau bod yn ofalus wrth bwyntio bys,' meddai wedyn â'r tinc nawddoglyd yna'n dal yn ei lais, ond roedd yn hollol hunanfeddiannol. 'Gwrandwch; dw i'n gwybod 'ych bod chi wedi cael dipyn o sioc ac mi alla i ddeall sut ydech chi'n teimlo, ond mi ydw i wedi gweld lot o bethau na fasech chi byth yn eu credu nhw a dw i'n gwybod yn iawn bod yna lot o faw allan yn fan'na, ond gadewch y baw i mi. Mi ydw i wedi gweld lot o bobol ar ôl iddyn nhw ladd eu hunain a dydy o ddim yn neis – rhai wedi'u crogi, rhai wedi boddi ac ia, rhai wedi saethu eu hunain. Mae hwn yn achos o hunanladdiad, mor blaen â'r bwrdd yma,' meddai, a tharo ei law yn galed ar y bwrdd o'n blaenau. 'Deall? Wyddon ni ddim pam mae o wedi digwydd, efallai na chawn ni byth wybod, ond mae o wedi digwydd a dyna ddiwedd arni.' Edrychodd yn syth i wynebau'r ddau ohonon ni.

Roedd ei eiriau pwyllog a'r bygythiad amlwg ar y diwedd wedi ein sobri. Ni ddisgwyliai ymateb ac ni chafodd un. Cododd. Wrth fynd trwy'r drws ychwanegodd: 'Fel dwedais i, peidiwch â chodi bwganod, a da chi peidiwch â chorddi'r dyfroedd.'

Eisteddodd Alfie a fi yno yn edrych ar ein gilydd am funudau hir. Ddywedodd neb y caen ni adael ond cododd y ddau ohonon ni a cherdded allan i wres y bore. Roedd hi'n mynd i fod yn ddiwrnod braf. Roedd arcêd gan Alfie i'w hagor a fan yn fy aros i.

'Be gythrel oedd pwynt hynna, dywed?' medde fi.

'Rhybudd,' meddai Alfie. 'Rhybudd, ac un eitha plaen hefyd,' meddai wedyn, ac roedd rhyw galedwch yn ei lais a golwg benderfynol ar ei wyneb. 'Gwna ffafr â fi, wnei di?'

'Iawn, be?'

'Tyrd am beint efo fi heno?'

'Y Vic?'

'Na, i'r Dudley. Mi wna i gwrdd â ti y tu allan tua chwarter wedi deg ar ôl i mi gau'r arcêd.'

'Iawn,' medde fi, ond roedd pryder yn fy llais.

Gadawodd Alfie i gyfeiriad y prom.

'Be wyt ti'n neud yma?' daeth llais Delyth o'r tu ôl i mi.

'Helping the police with their inquiries,' medde fi. 'A ti?'

'Y cyfweliad yna efo'r Chief drefnais i. Fedra i ddim aros. Dw i'n hwyr.' Ac i mewn i swyddfa'r heddlu â hi.

Os oedd cludiant i fynd â mi i swyddfa'r heddlu, roedd hi'n annhebygol y cawn i gludiant adref i gyrchu fy nghar. Troais tua'r orsaf bysiau. Roedd bwrlwm bore prysur o haf wedi dechrau a'r ymwelwyr yn heidio tua'r traeth. Byddai Don yn dechrau cael cathod bach hebdda i ac yn casglu archebion y diwrnod. Byddai Mam yn siŵr o fod yn falch o ngweld i'n dychwelyd o'r carchar tywyll, du, y tybiai i mi gael fy nghludo iddo'n gynharach. Casglais gopi o'r *Journal* i ddarllen erthygl Delyth ar y bws.

'New Investment for Rhyl' oedd y pennawd ac 'A profile of Mr Emlyn Parry-Huws' oddi tano.

Roedd hi'n medru ysgrifennu, meddyliais i. Y peth dynnodd

fy sylw amlycaf oedd y sôn am fuddsoddwyr newydd, Kelly Holdings. Roedd yn rhaid i'r dref a'r busnes addasu, medde fo. Ar gyfer hynny, roedd yn rhaid cael arian. Doedd hi ddim yn ddigon bellach i ddisgwyl i'r dosbarth gweithiol ddod yn slafaidd. Rhaid fyddai eu denu. Roedd y byd yn newid a disgwyliadau'n codi.

'Gwarcheidwad i'r Rhyl. Efengylaidd, myn diawl! Mae hwn ar ryw fath o grwsâd,' meddyliais i.

*　　　*　　　*

Doedd lleoliad y Dudley ddim yr un mwyaf deniadol, yn llechu dan bont Vale Road, ger yr orsaf drenau. Doedd y tu allan erioed wedi edrych yn lân a doedd y beiciau y tu allan ddim yn denu rhywun drwy'r drws i'r mwrllwch tybiedig y tu mewn. Dydw i ddim yn arbennig o dal a doeddwn i ddim yn rhyw arbennig o gyhyrog chwaith; byr a llydan fyddai'r disgrifiad gorau o Alfie, a doedd 'run o'r ddau ohonon ni ag ymarweddiad arbennig o fygythiol, ac roedd cwmni y naill a'r llall yn gysur wrth gerdded trwy'r drws.

Roedd y bar yn eithaf tawel y noson honno gydag ambell berson rhyfeddol o normal yr olwg yn eistedd wrth fwrdd yn y gornel yn chwarae cardiau, a dau feicar yn sefyll wrth y bar. Trodd un aton ni wrth i ni gerdded i mewn, edrych i fyny ac i lawr ar ein dillad a throi yn ôl i drafod dirgeledigaethau beicio gyda'i gyfaill. Wnaeth o ddim sgyrnygu o gwbwl. Roedd merch go fawr y tu ôl i'r bar yn gwisgo du, ei gwallt yn ddu a thatŵs aflêr ar ei breichiau.

'What'll it be?' meddai hi â gwên wrth i ni ddynesu at y bar.

'Two pints of Wrexham, please,' medde fi.

Tynnodd hi'r ddau beint a'u gosod nhw o'n blaenau. 'Three and four, please. Not seen you boys here before.'

'No,' meddai Alfie. 'Is Seth around?'

'Who's asking?' holodd hi.

'Tell him it's Joe's friend.'

Trodd hi i weiddi i fyny'r grisiau y tu ôl iddi. 'Seth, rhyw ddau foi lawr grisie 'ma isio gair efo chdi.' Synnodd y ddau ohonon ni mai yn Gymraeg y gwaeddodd hi.

'Pwy yden nhw?' holodd y llais o fyny'r grisiau.

'Maen nhw'n deud bod nhw'n nabod Joe.'

'Ddo' i lawr mewn munud.'

'There we are,' meddai hi wrthon ni. 'He'll be down in a minute.'

'Diolch,' meddai Alfie.

'Chi'n Gymraeg 'te.'

'Yden,' medde fi.

Ymddangosodd corff cyhyrog, boliog Seth a'i farf cochlyd, trwchus rownd cornel y grisiau. Roedd ei ddillad yn ddu i gyd.

'Maen nhw'n Gymraeg,' meddai'r ferch.

'Diolch, Lisa. Be alla i neud i chi, bois?' meddai Seth mewn llais i grynu'r brasys rownd y bar.

'Fi ydy Alfie. Fi sy'n rhedeg yr arcêd ar ôl Joe.'

Ymddangosodd gwên lydan drwy'r barf.

'Meddwl y gallen ni gael estyniad o'r ddealltwriaeth oedd gynnoch chi efo Joe,' meddai Alfie.

'Sdim rhaid gofyn, fachgen. Mae'r polisi insiwrans yn dal i fynd. Mae ffrind i Joe yn ffrind i mi. Yden nhw wedi dod o hyd i pwy wnaeth?'

'Dyden nhw ddim yn chwilio,' meddai Alfie. 'Maen nhw'n meddwl mai lladd ei hun wnaeth o.'

'Joe? Byth. Bastards!' meddai Seth.

Erbyn diwedd y noson roedden ni'n ffrindiau pennaf, a'r Wrecsam wedi llifo'n ffri. Roedd Seth o Fangor a Lisa o Fethesda, a phawb o'r farn ein bod ni yng nghwmni halen y ddaear ac Alfie a fi yn rocars go iawn. Codasom wydr i Joe ac un i Josh hefyd, oedd i bob golwg yn un o'r frawdoliaeth.

'Sgwn i ydy'r Sgotyn yna allan o'r hosbitol eto?' meddai Joe.

Cododd Alfie ei olygon ata i ond ddwedon ni ddim byd.

Pur sigledig oeddwn i'n gadael. Penderfynais mai doeth fyddai gadael y car a cherdded adre.

'Paid â phoeni, fachgen,' meddai Seth wrth i mi fynd trwy'r drws. 'Mi fydd o'n iawn yn fan hyn. Wna i'n siŵr o hynny.' Doedd dim dowt gen y byddai'r car yn holliach yn y bore.

Pennod 9

Yn yr Eglwys Gatholig yr oedd yr angladd, ar ddiwrnod braf ar ddechrau Awst. Offeren lawn ac eglwys lawn. Roedd y galarwyr defodol yno, a llond y lle o bobol y prom a'r ffair. Roedd sawl un adnabyddus o'r byd reslo yno hefyd. Safai Alfie wrth ochr Consuela a minnau y tu ôl iddo i fod yn rhyw fath o gefnogaeth iddo. Roedd rhyw ddyn eiddil yr olwg yn sefyll wrth fy ochr oedd yn sicr ddim yn un o'r garfan reslo. Wnes i ddim siarad efo fo fo, dim ond ysgwyd ei law fel sy'n rhan o'r ddefod mewn offeren. Alfie fu'n gyfrifol am lawer o'r trefniadau yn ogystal â rhedeg yr arcêd. Trefnodd i chwaer Consuela hedfan o Tijuana. Roedd hynny'n dipyn o gamp yr adeg honno, a bu hi'n gymorth mawr i ddod â gosteg i feddwl Consuela. Roedd gallu Alfie i ddygymod â'r pwysau'n rhyfeddol ac roedd wedi bod yn ôl a blaen lawer gwaith i weld Consuela, ond prin oedd yr wybodaeth a geid ganddo. Prin hefyd oedd ei ymweliadau â'r Vic yn y cyfnod yma. Cafodd ddefnydd o Ford Capri Joe, gan nad oedd Consuela am ei weld o flaen y tŷ.

Daeth Delyth i'r angladd hefyd yn ei rôl newyddiadurol i gofnodi diwedd un o gymeriadau mwyaf lliwgar y dref. Ysgrifennodd hi erthygl hyfryd amdano yn y Journal. Daeth George efo hi yn gwmni. Doedd y cwest ddim wedi'i gynnal, ond rhyddhawyd y corff gan y crwner. Doedd y farn derfynol am achos y farwolaeth ddim wedi ei chyhoeddi eto, oedd yn golygu y gallai'r angladd ddigwydd mewn eglwys Babyddol gan yr ystyrid bod hunanladdiad yn bechod gan Gatholigion. Cludwyd Joe i mewn gan Seth a phump o feicars cyhyrog eraill yn eu lifrai lledr ac roedd ponsho wedi'i thaenu dros yr arch sylweddol â sombrero yn goron arni. Wrth gerdded allan tu ôl i'r arch at yr hers sylwais i ar wraig Parry-Huws yn y cefn a'i phen i lawr. Un o'r galarwyr 'proffesiynol' hynny sydd mewn mewn angladdau, neu oedd hi'n adnabod Consuela drwy'r eglwys? Wyddwn i ddim. Feddyliais i ddim mwy am y peth.

Roedd taith yr hers drwy'r dref ar hyd y prom wedyn yn eithaf trawiadol, gyda gosgordd o feiciau'n ei dilyn yr holl ffordd i Fetws-yn-Rhos, lle roedd Joe i'w gladdu. Daeth sawl un allan o'r siopau i guro dwylo. Wrth fynd ar hyd y prom ar daith olaf Joe, sylwais fod sawl arcêd wedi cau ac roedd llonyddwch parchus wedi dod i'r ffair tra oedd yr hers yn pasio. Bu Consuela yn syndod o gref rhwng ei chwaer ac Alfie yn ystod y gwasanaeth yn yr eglwys ond dechreuodd hi igian crio wrth i'r cerbydau fynd heibio arcêd Mexico Joe yn ôl Alfie, oedd wrth ei hochr yng nghar y prif alarwyr.

Yn y fynwent, safai pawb mewn cylch o gwmpas y bedd yn fintai gymysg, frith. Dywedodd yr offeiriad ychydig eiriau mewn Sbaeneg oedd yn amlwg wedi eu paratoi ar ddarn o bapur; camodd Consuela, ei chwaer ac Alfie ymlaen i daflu pridd ar yr arch yn y bedd. 'Adiós, mi amor,' meddai hi. 'Me vengaré,' meddai hi wedyn a chamu 'nôl yn dalsyth. Gallai Delyth a fi glywed ei geiriau er ein bod wedi sefyll yn ôl rywfaint. Trodd pawb oddi wrth y bedd wedyn i fynd tua thafarn y Wheatsheaf, lle roedd lluniaeth wedi'i baratoi. Ysgydwodd Consuela law a chofleidio sawl un ar eu ffordd o'r fynwent. Cofleidiodd un dyn dipyn yn hirach na'r gweddill. Daeth Alfie aton ni. Roedd yn falch o ddianc rhag yr emosiwn. Fe safon ni yno a gadael i'r dorf ddiflannu. Safai'r dyn diarth nid nepell oddi wrthon ni. Gallai ein clywed ni'n siarad. Ar ôl i bawb adael, cerddodd tuag atom. Roedd o'n ddyn o gorffolaeth fawr ond a'i gefn yn grwm. Roedd ganddo wddw llydan a phrin y gallai coler ei grys gau amdano. Doedd hwn ddim yn un oedd yn gwisgo'r siwt oedd braidd yn grychiog yn aml. Roedd ei wyneb rhychiog fel wyneb hen filwr oedd wedi gweld dyddiau go galed ond ddim eto mewn gwth o oedran.

'Su'mai,' meddai. 'Iolo Lloyd ydw i. Mastiff maen nhw 'y ngalw i. Dw i'n hen bartner reslo i Joe. Mastiff oedd 'yn hen enw reslo i.'

'Su'mai,' medden ni gyda'n gilydd ac ysgwyd ei law yn ein tro. Roedd arthritis yn amlwg yn ei ddwylo, ac roedd ei wyneb herfeiddiol yn wahanol i'w ymarweddiad.

'Y cwbwl dw i isio'i ddeud ydy na wnaeth Joe ddim lladd ei hun, be bynnag maen nhw'n ddeud,' meddai a throi i adael.

'Arhoswch funud,' meddai Alfie. 'Sut gwyddoch chi hynny?'

'Jest nabod Joe ydw i a fase fo ddim. Mi ddeudodd o lot o bethau wrtha i. Mi oedd o'n dod i ngweld i'n aml. Doedd o ddim yn y stad yna o feddwl.'

'Gawn ni ddod i siarad efo chi, Mr Lloyd?' holodd Delyth. 'Dw i'n siŵr bod stori ddiddorol gynnoch chi.'

'Mastiff wneith y tro yn iawn.' Oedodd am eiliad cyn dweud, 'Cewch, am wn i.'

'Lle ydech chi'n byw?' holodd Delyth eto.

'Bath Street, nymbar *three*. Fflat fyny grisiau. Canwch y gloch ond rhowch amser i mi ddod lawr y grisiau.'

'Pryd sy'n gyfleus?' holodd Delyth â'r portread yn ffurfio yn ei phen yn barod, dw i'n siŵr.

'Pan dach chi isio. Dw i ddim yn mynd allan lot rŵan.'

'Iawn,' medde fi.

'Iawn,' medde fo. 'Dw i'n cael lifft efo un o fois y beics yna. Rhaid i mi fynd,' ac i ffwrdd â fo.

Gwyliodd y tri ohonon ni fo'n hercian i lawr y llwybr. Roedd beicar yn aros amdano.

'Mi fydd raid i chi'ch dau fynd, dw i'n styc efo'r arcêd,' meddai Alfie.

'Iawn,' medden ni

'Fory?' gofynnodd Delyth i mi. 'Does dim pwynt oedi. Alwa i amdanat ti. Pryd wyt ti'n gorffen?

'Tua pump.'

'Alwa i am chwech,' meddai hi a throesom tua'r dafarn.

Am chwech o'r gloch yn union cyrhaeddodd Delyth yn y Ford Anglia roedd hi'n cael defnydd ohono fo o'i gwaith.

'Hwn yn swanc,' medde fi.

'Percs y byd newyddiadurol,' meddai hi.

'Ti wedi gorffen yr erthygl yna am y Rasel eto?'

'Bron.'

'Rhywbeth diddorol?'

'Ddim ar gyfer y papur ond mae yna lot y gallwn ni ddehongli o'i sylwadau o.'

'Fel be?'

'Cadw'r ddesgil yn wastad a chaead ar y tun ydy sut mae o'n gweld ei waith.'

'Ddwedodd o hynny?'

'Naddo. Darllen rhwng y llinellau ydw i. Mi ddwedodd o un peth *off the record* am ei batsh o, bron yn farddonol; roedd o'n sôn am ei "batsh" drwy'r amser fel tase fo pia'r lle. Mi fynnodd mod i'n troi'r recordydd tâp i ffwrdd adeg hynny. Mae'r patsh yn organig, medde fo, yn tyfu, ac i dyfu mae angen pob math, rhai'n dda a rhai'n ddrwg, a'i job o oedd sicrhau nad oedd y drwg yn ennill y dydd ar y da, ac os ydy'r drwg yn lladd y drwg weithiau … Wnaeth o ddim gorffen y frawddeg, dim ond codi ei ysgwyddau.'

'Blydi hel! Ti'n printio hwnna?' medde fi.

'Dim peryg.'

'Dydy pobol gyffredin ddim yn deall. Gadael llonydd i ni, yr heddlu, drin y drwg, medde fo.'

'Oedd hynny'n fygythiad, ti'n meddwl?'

'Roedd o'n rhybudd o leia.'

'Mi ddwedodd o rywbeth tebyg wrtha i ac Alfie pan dynnodd o ni i mewn. Dw i'n meddwl bod yna ddeunydd seiat go lew heno, greda i.'

Parciodd hi'r car gyferbyn â rhif tri, Bath Street. Aeth y ddau ohonon ni allan o'r car, cerdded at y drws i fflat Mastiff a chanu'r gloch.

Aeth munudau hir heibio cyn i'r drws agor. Hebryngwyd ni i fyny'r grisiau yn araf ar ôl Mastiff yn yr hanner tywyllwch at ddrws ei annedd. Roedd sŵn babi yn crio yn rhywle i lawr grisiau.

'Crio, crio, crio. Dyna'r cwbwl mae'r babi 'na'n neud. Reslo wedi bygro 'nghefn i. Thâl hi ddim i mi frysio,' medde fo wrth iddo hercian gyda phob cam. 'Doedd mynd ar gefn y beic yna'n ddim lles i mi chwaith. Reit, steddwch,' meddai ar ôl i ni fynd i mewn.

Roedd ôl llaw fenywaidd yn y fflat – lluniau teulu ac un o ferch yn gwenu o'r silff-ben-tân. Roedd amryw bosteri a lluniau reslo ar y waliau ond roedd llwch dros bopeth a'r dodrefn wedi gweld dyddiau gwell.

Cyflwynais fy hun a Delyth.

'Jest i mi fod yn strêt,' meddai hi. 'Dw i'n gweithio i'r Journal ac yn hel proffiliau o bobl ddiddorol y dre 'ma. Dw i'n meddwl bo' chi'n un o'r bobol liwgar hynny. Ga' i sôn amdanoch chi yn y papur? Ddim jest am Joe dw i isio gwybod. Mae stori gynnoch chi hefyd. Mi fyddwn ni'n fodlon talu.'

Ystyriodd Mastiff ei geiriau ac edrych yn hir ar y ddau ohonon ni cyn ateb. Yn sydyn roedd golwg ddrwgdybus iawn ar wyneb yr hen reslar. Roeddwn i'n gweld y cyfweliad yn mynd i'r gwellt cyn iddo ddechrau.

'Cewch,' meddai o'r diwedd. 'Cyn belled â'ch bod chi'n dangos y peth i mi cyn i chi fynd i brint ac yn torri stwff allan os ydw i'n deud. Mi wna i heb y pres hefyd, diolch yn fawr.'

'Addo,' meddai Delyth. 'Printio dim byd os nad ydech chi'n deud.'

'OK,' meddai.

'Chi mewn dyddiau a fu?' holais i dorri'r tensiwn a chyfeirio at un o'r lluniau. Gallwn weld yn glir sut cafodd y llysenw.

Wnaeth o ddim ymateb heblaw drwy ystum o surni.

'Mrs Lloyd?' holais i wedyn, yn cyfeirio at y llun o'r ddynes hardd ar y silff-ben-tân.

'Ia. Mi golles i hi ddwy flynedd yn ôl. Canser.'

'O, mae'n ddrwg gen i,' medde fi.

'Mae'n olréit,' medde fo. 'Dw i'n well rŵan. Dries i wneud amdana'n hun ddwywaith ar ôl iddi hi fynd. O'n i yn y Mental yn Dimbech am dipyn. Mi fuodd yr hen Joe yn dda iawn wrtha i yr adeg honno. Mi wela i golled ar ei ôl o. Mi oedden ni'n hen bartneriaid tag. Dyna ni yn fan acw,' meddai, a chyfeirio at un o'r lluniau y tu ôl i mi. 'Ugain mlynedd yn ôl, fasech chi byth yn meddwl o edrych arna i rŵan. Tipyn o foi. Tipyn o reslar hefyd. Dw i dipyn hŷn na fo ac mi edryches i ar ei ôl o pan ddaeth o ar y sîn yn y wlad yma. Fo fuodd yn edrych ar f'ôl i wedyn.'

'Roeddech chi'n ffrindiau mawr, felly?' meddai Delyth.

'O oedden, fel dau frawd. Mi edrychodd o ar f'ôl i pan frifes i nghefn.' Roedd yr hen reslar yn siarad fel pwll y môr, fel petai'n falch o'r cyfle i fwrw'i berfedd. 'Mi driodd o sefydlu undeb i ni, reslars, a chael *compensation* i mi, ond doedd dim byd yn tycio efo'r Kellys. Mi aeth o â nhw i'r llys ond colli oedd ein hanes ni. Ches i 'run geiniog. Dw i wedi bod fel hyn ers hynny. Mi fues i yn Sanatorium Abergele am op a gorwedd ar fy nghefn am dri mis. Wnaeth o fawr o wahaniaeth.'

'Pwy oedd y Kellys yma?' holodd Delyth.

'Nhw oedd y promotars. Nhw oedd yn rhedeg y sioe dros y North i gyd ac yn gwneud ffortiwn ar ein cefnau ni. Maen nhw â'u bysedd mewn lot o botes gwahanol erbyn hyn.'

'Sut fath o botes?' holodd Delyth.

'Bildio rhan fwya, ac mae gynnon nhw le mawr gwneud concrit yn ochrau Caer, o be ddallta i.'

'Tipyn o newid o drefnu reslo,' medde fi.

'Ia, ond pan mae gynnoch chi bres mi fedrwch chi wneud be liciwch chi. Roedd Parry-Huws o'r dre 'ma yn rhan o'u potes nhw hefyd. Dw i'n cofio'r bastard yn iawn. Mi wrthododd o dalu yr un geiniog i mi pan frifes i nghefn. Roedden ni ar gyflog ond mi oedd hwnnw'n stopio'n syth bìn os nad oedden ni'n medru paffio. Roedd o fel rhyw fficsar cyfreithiol iddyn nhw. Doedd o byth yn colli. Mi oedd o'n casáu Joe am be wnaeth o. Mi oedd pawb yn meddwl mai oherwydd 'i fod o wedi brifo y gorffennodd Joe. Ond gwylltio wnaeth o a gadael. Mi oedd o'n ddigon iach i ddal ati efo un o'r promotars eraill ond mi oedd ganddo fo ddigon o bres ac mi brynodd yr arcêd 'ne ar y prom.'

'Tipyn o stori,' meddai Delyth. 'Fedra i sôn am hyn yn y papur?'

'Dim peryg, neu mi fydda i yn yr un lle â Joe. Fedra i brofi dim byd.'

'Rown ni *D-notice* ar hwnna 'te,' meddai Delyth, yn cadw at ei gair.

Roedd darnau mawr o'r jig-so wedi'u cyflwyno i ni ond doedden ni ddim yn gwybod yn iawn ble roedden nhw'n ffitio.

Parhaodd ein sgwrs am bron i ddwy awr, a'r Mastiff wedi yfed sawl sloch o wisgi. Cynigiwyd gwydraid i ni ond fe wrthodon ni'n barchus. Roedd Delyth a fi wedi ein swyno â'i hanes. Thynnodd yntau mo'i lygaid oddi ar Delyth. Clywsom amdano fel hogyn o Lanrwst a'i gyfnod yn yr ysgol ramadeg yno, a'i benderfyniad i ddefnyddio cryfder ei gorff yn hytrach na chraffter ei feddwl ar gyfer gyrfa. Clywsom am ornestau reslo dros ogledd Lloegr a'r coreograffi manwl a wneid i chwipio cynulleidfaoedd i wewyr o gasineb at y naill reslar neu'r llall. 'Roedden nhw i gyd yn fois clên ar y diawl, rhan fwya,' meddai. 'Mi gafodd Joe fwy o fri na fi ar y teledu,' ychwanegodd, ond doedd dim eiddigedd yn ei lais. 'Mi oedden ni'n cael bonws os oedden ni ar y bocs.'

Wrth adael, addawodd y ddau ohonon ni ddod yn ôl. Roedd y *chi* a ddefnyddiai i ddechrau efo ni wedi troi yn *ti* erbyn hyn.

Agorodd y drws ffrynt i ni ar ôl hercian i lawr y grisiau. 'Cofia be wnest ti addo,' meddai wrth Delyth, a'i leferydd yn dechrau llithro ryw ychydig.

'Iawn,' meddai hi. 'Diolch.' Yn hollol annisgwyl, rhoddodd hi gusan ar foch y Mastiff. Roedd yr hen reslar yn amlwg wedi'i swyno ganddi. Gallai Delyth daflu ei hudoliaeth yn hynod o effeithiol, meddyliais wrth inni gerdded at y car.

'Ti'n rêl *charmer*, on'd wyt ti?' medde fi wrthi ar y ffordd i'r Vic.

'Mi oedd o'n hen gariad o foi, on'd oedd o? Mi oedd o'n haeddu sws.' Roedd Delyth yn ymwybodol iawn o'i rhinweddau ac yn gwybod sut i'w defnyddio nhw. Roedd stori'n cyniwair yn rhywle yn yr ymennydd yna dan ei gwallt cringoch.

Roedd hi'n ddeg o'r gloch erbyn i ni gyrraedd y dafarn, a Guto, Alfie a George yn aros i glywed ein hanes. Roedd digon ganddon ni i'w draddodi.

Closiodd Delyth at George wedi cyrraedd, a hi wnaeth y siarad i gyd. Roedden ni fel 'taen ni'n cael rhagflas o'r stori oedd ganddi. Roedd y cig yn dechrau dod ar yr asgwrn.

'Ti **yn** mynd am y Pulitzer, on'd wyt ti?' medde fi.

Ddywedodd hi ddim byd, dim ond gwenu.

Ddywedodd Guto fawr ddim tan iddo gynnig un sylw. 'Chi'n corddi dyfroedd dyfnion yn fan hyn, chi'n gwybod.'

Ddywedodd George fawr ddim chwaith, a gadawodd efo Delyth amser cau.

Yn y maes parcio wrth fynd at ein ceir y daeth cwestiwn Alfie. 'Wyt ti awydd newid gyrfa?'

'Be ti'n feddwl?' medde fi.

'Dod i weithio efo fi,' meddai Alfie yn blwmp ac yn blaen.

'Mae rhedeg yr arcêd yn ormod i mi ar ben fy hun. Mi fydd y pres yn well na gyrru fan. Mae arna i angen rhywun y medra i ymddiried yno fo a ti ydy'r gorau alla i 'i gael *at short notice*,' meddai Alfie â gwên.

'Diolch yn fawr am y *compliment*,' medde fi.

Pennod 10

Roedd gwyliau'r haf ar ei anterth gyda'r plant o'r ysgol a doedd dweud wrth Don mod i am adael ddim wedi bod yn hawdd. Rhoddais wythnos o rybudd iddo cyn mynd. Bu'n rhaid tynnu rhywun â thrwydded yrru o'r ffair i ddod i'r adwy. Doeddwn i ddim yn edrych ymlaen at fynd i fwrlwm y prom a hithau erbyn hyn yn ganol Awst ac roeddwn i'n eithaf nerfus am fynd i'r arcêd, o ystyried beth ddigwyddodd i Joe. Roeddwn i'n mawr hyderu y byddai'r warchodaeth a drefnodd Alfie yn effeithiol, ond ffrindiau ydy ffrindiau. Dôi Guto draw yn aml hefyd tra oedd ei asennau'n gwella ond fyddai yr un ohonon ni'n dda i ddim byd i fynd i ymrafael â neb.

Aeth pethau'n grêt am ryw ddeuddydd neu dri ac Alfie yn fòs ystyriol. Roedd yr arian yn dod i mewn yn ffri fesul swllt a hanner coron, a'r ceiniogau'n cylchdroi drwy'r peiriannau. Mi ddois i sylweddoli'n fuan mai ar gyfer adloniant roedd y pyntars yn talu. Doedd o ddim yn gamblo go iawn a'r peiriannau'n ennill yn amlach na pheidio, ond doedd neb yn cwyno. Roeddwn i'n dod yn eitha giamstar ar eu trwsio nhw hefyd, wrth i ambell geiniog gam fynd yn sownd ym mherfeddion y bandits. Roeddwn i'n teimlo'n eitha pwysig gyda chadwyn o oriadau rownd fy ngwddw yn barod i ymateb i unrhyw gŵyn am ddiffyg yn un o'r peiriannau. Roedd yna beiriannau rasys ceffylau, peiriannau gwthio ceiniogau o bob math a rhesaid sylweddol o beiriannau *pin-ball*. Treuliai ambell un oriau ar un peiriant yn ceisio datrys dirgelwch y siawns orau o ennill. Wnaethon nhw byth.

Roedd Alfie wedi darbwyllo Consuela mai da fyddai gwneud y gorau o'r tymor tra daliai, cyn meddwl am werthu. Bu'r ffaith iddo ddod â fi i mewn i'w helpu yn gyfrwng i dawelu ei meddwl. Âi Alfie i'w thŷ bob yn eilddydd i roi cyfri iddi am yr arian oedd wedi'i fancio. Roedd ei chwaer, Maria, wedi aros gyda hi. Roedd hi ddeng mlynedd a mwy yn iau na Consuela, yn dipyn o bishyn, ac yn ddawnswraig fel y bu Consuela unwaith – coesau hirion a gwallt hir, du i lawr ei chefn. Roedd hi'n hynod drawiadol a phob dyn yn debygol o droi ei ben i'w chyfeiriad pan gerddai i mewn i'r ystafell. Beth oedd yn bwysig amdani oedd bod ganddi Saesneg go lew, ar ôl bod yn gweithio cryn dipyn yn America. Ac efallai'n bwysicach roedd hi wedi aros, oherwydd angen ei chwaer yn bennaf, ond bu Alfie yn atyniad hefyd. Ymfalchïai Alfie yn y sylw a gâi ganddi. Mi oedd o'n go hwyr yn cyrraedd y gwaith ambell fore ac yn edrych yn hynod o flinedig, ond roedd gwên go lydan ar ei wyneb.

'Mi fydd y ddynes yna'n dy ladd di,' medde fi ar un o'r boreau hynny.

'Ti'n deud wrtha i!' meddai Alfie, a chwythu gwynt o'i fochau cyn troi at ei bulpud bingo.

Un siaradus oedd Millie, y ddynes lanhau yn yr arcêd. Dôi ar y bws bob dydd o Ddiserth. Roedd hi'n un o'r bobol hynny sy'n dweud wrthoch chi bopeth amdanyn nhw eu hunain a'r digwyddiadau diweddaraf yn eu bywydau sy affliw o ddim diddordeb i chi. Unwaith byddai hi wedi dechrau roedd hi'n anodd troi'r tap i ffwrdd. Cefais rybudd: roedd un sylw yn ddigon.

'Chi'n gweithio'n go galed,' medde fi wrth iddi fynd â pholish dros wydrau'r bandits yn ffyrnig, a dyna'r tap wedi'i agor.

'Ydw. Mae raid i mi ers i'r gŵr ddiawl 'ne ngadel i, y bastard. Mi fydda i'n rhoi'r plant 'cw ar y bỳs i'r ysgol a ffwr' â fi wedyn. Dw i'n gwneud hi'n iawn hebddo fo. Mae gen i lot o gystomers, w'chi. Dw i 'di bod wrthi rŵan ers dros ddwy flynedd. Yn gwneud yn iawn heb y bastard ddiawl digwilydd, dda i ddim iddo fo. Mi fydda i adre cyn amser te i'w cwarfod nhw o'r bỳs. Dw i'n gneud lot o fflatie rownd y lle 'ma. Ma' fo'n talu'n go lew i mi. Mi fydda i'n mynd o fan hyn i fflat yn Balmoral Grove, gneud honno a wedyn mae gen i job yn llnau lle tacsis y Scammells ar Kinmel

Street. Welsoch 'rioed y fath fès, myn diawl. Bob wsos yr un fath. Mae'r fam, Mrs Scammell, wrth ei bodd yn 'y ngweld i'n dod, dw i'n meddwl; isio sgwrs dros baned a hel straeon bob tro. Stopio fi llnau.'

Goleuodd bwlb yn fy mhen i. Roedd darn mawr o'r jig-so wedi'i gyflwyno i mi. Wnes i ddim gofyn cwestiwn arall. Doedd o ddim yn dystiolaeth ond roedd o'n ddigon i mi. Mi wnes i esgus i ymadael a throdd hi at yr hwfer.

Tua'r un adeg yr wythnos honno y dechreuodd pethau fynd o chwith ym Mexico Joe's. Parciodd fan y tu allan a daeth tri gweithiwr ohoni. Daeth *compressor* a dril niwmatig yn fuan wedyn efo fan arall. Doedd hi ddim yn glir beth oedden nhw'n ei wneud i ddechrau ond roedd sŵn y dril yn fyddarol. Roedd ymdrechion Alfie ar y meicroffon o'i bulpud bingo yn cael eu boddi.

'You going to be long?' holais i'r fforman. 'Can't hear ourselves think in here.'

'Dunno,' meddai'r fforman. 'Day or two probably. Laying a new telephone cable along here. Old one's knackered. New development along here, the council says. Got to be done, sorry, mate.'

'Great,' medde fi.

Prin fu'r sylltau i'r coffrau y deuddydd hwnnw gyda'r dyrnu yn rhwystr mawr i'r bingo. Roedd dyddiau hesb yn bwnied go drom, â'r tymor i wneud arian mor fyr. Dôi diwedd haf a byddai cwtogiad o ddeuddydd yn cael effaith andwyol ar yr elw.

Crwydrais drws nesa i gyd-gwyno â'r perchnogion eraill. Synnais cyn lleied o groeso ges i yno ar ôl i mi ddweud mod i'n gweithio efo Alfie. Roeddwn i wedi clywed am Syd, ac nad oedd o'r person mwyaf serchus yn y byd, ond mentrais dorri gair ag o. Wedi'r cwbwl, roedd y sŵn yn amharu ar ei fusnes o 'run fath. Roedd Alfie'n dweud ei fod o'n dod o Wrecsam a'i fod o'n siarad Cymraeg.

'Dw i'n gweithio efo Alfie drws nesa,' medde fi. 'Sŵn 'ma'n blydi boncars, on'd ydy. Yn effeithio arnoch chi 'run fath?' holais i wedyn yn ddigon rhadlon. Roeddwn i'n gredwr mawr mewn peidio â gwneud gelynion o gymdogion.

''Wrach,' daeth ateb unsill Syd.

'O,' medde fi.

'Ffyc off yn ôl i dy ochor di. Does ene ddim croeso i ti a dy ffrind yn fa'ma.'

'Be ddwedes i?' holais, yn ceisio bod mor anymosodol â phosib.

'Yli, hogyn. Mi oedd y bastard Joe yna'n bygro bob dim i ni.'

'Pwy ydy *ni*?' holais wedyn yn ddigon diniwed.

'Ni yn y rhes yma,' meddai, yn cyfeirio at yr arcêds cyfagos ar hyd y prom. 'Ma' gynnon ni *chance* go lew o adael y busnes 'ma efo rhywbeth go iawn yn 'yn pocedi ni. Doedd Joe ddim am werthu, o nac oedd. Mi oedd gynno fo ryw chwilen yn 'i ben, a hebddo fo'n cytuno mae'r blydi lot yn mynd i'r ffycin gwellt ac mi ân nhw am *compulsory purchase*, ac mi gawn ni lot llai. Mae'r *planning* yn ei le, y pres yn ei le. Bob dim.'

'O,' medde fi.

'A wna i ddim maddau iddo fo am bygro'n *retirement plans* i. 'Wrach bod y lleill yn maddau iddo fo ond gwynt teg ar ei ôl o ddweda i, y bastard hunanol. Pan glywa i fod chi'ch dau'n gwerthu, mi gei di groeso gen i. Tan hynny …' meddai Syd a gadael am yr ystafell gefn.

'Ti wedi bod yn siarad efo Syd?' holodd Alfie ar ôl i mi ddychwelyd.

'Do.'

'Gest ti groeso?'

'O do. Carped coch a phaned,' medde fi.

'Isio i ni werthu?'

'Oedd.'

'Mi wnawn ni, ond ddim eto,' meddai Alfie yn wybodus a thapio ochr ei drwyn. Roedd rhyw wydnwch wedi dod i'w agwedd.

Tua wyth o'r gloch y nos ar ôl ymadawiad dynion y dril yr aeth popeth yn ddu yn yr arcêd: y golau, llewyrch y peiriannau yn ogystal â'r sain i feicroffon Alfie. Roedd yr haul ar ei ffordd i lawr dros drwyn y Gogarth. Roeddwn i yn y blwch rhoi newid gan fod Hilda ar fin gadael am y diwrnod.

'Sorry about that, folks. Looks like we've got a power cut,' meddai Alfie wrth y rhesaid llawn o gwsmeriaid o'i flaen.

Codais a mynd at y drws ffrynt i weld a oedd gweddill yr arcêds cyfagos wedi cael yr un broblem. Roedd popeth yn ymddangos yn iawn iddyn nhw, a'u goleuadau'n chwincio fel arfer. Bob ochr i ni roedd rhesaid o oleuadau neon, a ninnau'n ynys dywyll yn y canol. Ond o leiaf roedd y machlud yn rhoi ychydig o olau i ni.

'Jest ni,' medde fi wrth Alfie.

Bu'n rhaid iddo roi'r arian yn ôl i'w gwsmeriaid grwgnachlyd wedyn. 'Call again tomorrow,' meddai'n obeithiol wrth iddyn nhw ymadael. 'Hilda, can you hold the fort for a little bit while we see what's going on with this electric.'

'OK, but don't be long,' meddai hi'n anfoddog, ac aeth Alfie a fi i chwilota.

'Mae'r bocs letrig allan yn y cefn,' meddai Alfie.

Roedd drws y bocs metel yn llydan agored ac ôl llosgi drosto, ond beth oedd yn fwyaf arwyddocaol oedd yr ôl dŵr ar y llawr o'i flaen. 'Mae yna ryw fastard wedi lluchio bwcedaid o ddŵr i mewn i hwn a ma' fo wedi chwythu'r blydi lot. Grêt!' meddai Alfie.

Edrychodd y ddau ohonon ni o'n cwmpas yn y gilfach oedd oddi ar y lôn gefn. Doedd neb i'w weld. Safon ni am amser hir yn edrych ar yr ôl llosgi ar y bocs wedyn.

'Wel, does yna ddim byd ond un peth amdani,' meddai Alfie.

'Be?' medde fi, yn disgwyl i ryw ddoethineb ddod o'i enau.

'Cau'r arcêd a mynd am beint,' a dyna a wnaethon ni. Er gwaethaf sylw hwyliog Alfie, roedd y ddau ohonon ni wedi dechrau edrych dros ein hysgwyddau'n gyson erbyn hyn. Doedden ni ddim yn boblogaidd efo rhywun. Ar ôl y digwyddiad, penderfynon ni mai da o beth fyddai i ni gyrraedd a gadael y lle gyda'n gilydd. O leiaf roedd rhywfaint o sicrwydd yn hynny.

Aethom heibio'r sêff nos i daro ychydig arian y diwrnod ynddi ar y ffordd. Roedd y tecins i lawr eto.

Roedd Delyth, George a Guto yn y Vic yn barod. Cawsom ddweud ein hanes.

'Pwy wyt ti'n meddwl wnaeth?' holodd Delyth. 'Ydy'r Syd yma'n ddigon snichlyd i wneud y fath beth?'

'Dw i'n gwybod nad ydy o'n be fasech chi'n 'i alw yn halen y ddaear math o foi, ond dw i ddim yn meddwl y base fo'n gwneud hynny,' meddai Alfie. 'Mi oedd o a Joe yn tynnu ymlaen yn iawn tan yn ddiweddar. Beth bynnag, mae o'n rhy agos at lygad y ffynnon.'

'Mi yden ni'n gwybod bod ganddo fo'r motif,' meddai Delyth. 'Gest ti wybod mwy am y ddêl mae o wedi'i chael ar gyfer ei le o?' gofynnodd hi i mi.

'Dim ond bod y pres a'r *planning* yn eu lle ac mai Joe oedd y maen tramgwydd. Mi oeddwn i'n cael yr argraff ei fod o'n difaru deud cymaint â hynny wrtha i.'

'Wyt ti'n meddwl mai'r Scammells wnaeth?' gofynnodd i Alfie.

'Nhw ydy'r tebyca, greda i.'

'Mi wyddon ni eu bod nhw'n gweithio efo Parry-Huws,' ychwanegodd Delyth, 'ac mi wyddon ni fod yna dipyn o hanes rhwng Parry-Huws a Joe, a bod Joe wedi styfnigo efo'r gwerthu jest i fod yn boen yn y pen-ôl i Parry-Huws a'r Kellys yma. Mwy a mwy diddorol, e?'

'Mae'n olréit i ti,' medde fi, 'ond dim ond fi alle dystio bod Parry-Huws a'r Scammells yn gweithio efo'i gilydd, ac mi ydw i wedi neidio reit i ganol y potes wrth fynd i weithio yn yr arcêd, on'd do?'

'Wyt ti'n mynd i werthu?' gofynnodd hi i Alfie yn blwmp ac yn blaen.

'Dydy o ddim yn ddewis i mi,' atebodd Alfie.

'Iawn, ond mae Consuela yn ymddiried ynot ti, on'd ydy? Mi wneith hi be wyt ti'n gynghori. Mae dy draed di yn go lew dan y bwrdd yna, o be dw i'n ddeall,' meddai Delyth â gwên gellweirus. 'Mae Maria a ti'n dipyn o eitem, o be glywais i.'

Gwridodd Alfie ryw ychydig. Doedd o erioed wedi meddwl amdano'i hun fel rhyw ferchetwr mawr. 'Gwerthu fydd hi yn y diwedd, ond yn ei bryd,' meddai Alfie er gwaetha'i wrid. Sylwodd pawb ar yr hyder yn ei eiriau. Roedd y jocar yn troi'n ddyn â chyfrifoldeb ar ei ysgwyddau.

'Byddwch chi'n ofalus,' meddai Guto ar ôl gwrando. 'Mae yna bethau mawr nad yden ni'n eu deall yn digwydd.' Roedd tân anghyfarwydd yn llygaid Guto. 'Mi wyt ti, a ni o ran hynny, yn cael ein llusgo'n ddistaw bach i mewn i stwff peryg ar y diawl. Mae yna ryw ddiawl wedi rhoi clusten i mi. Mi wyt ti,' gan gyfeirio ata i, 'wedi cael llond twll o ofn yn dy gar efo'r hogan yna. Mae yna lot o stwff cas wedi bod yn digwydd i'r arcêd rŵan ac mae Joe a Tosh wedi marw. Peidied neb â deud nad oes yna ryw fath o ddolen gyswllt rhyngddyn nhw. Mi yden ni'n amau lot ond dyden ni'n gwybod uffern o ddim byd.'

'Ia, ond mae yna bictiwr yn dechrau datblygu. Mi oeddwn i yng Nghaer ddoe efo ngwaith, a mi es i heibio i le sgrap y Scammells ar y ffordd adre,' meddai Delyth.

'Est ti ddim i mewn?'

'Naddo, siŵr. Jest parcio tu allan. Chredwch chi ddim pwy sy ar y plot nesa ar y stad – Kelly Concrete. Cyd-ddigwyddiad neu be?'

'Ti'n rêl teriar, on'd wyt,' medde fi. 'Unwaith wyt ti'n cael gafael ar rywbeth. Oeddet ti'n tynnu lluniau eto?'

'Oeddwn, ond hefyd mi weles i'r Ford Corsair du yna yn dod allan o'r lle. Wn i ddim pwy oedd yn dreifio, ond synnwn i ddim mai'r Lenny yna oedd o. Mi aeth o heibio yn rhy eger i mi gael llun da ohono fo.'

'Dyn go fach, eitha smart?' holodd Alfie.

'Yn anodd dweud.'

'Y cwestiwn pwysica ydy,' meddai Guto, 'welodd o ti?'

'Do, ond does gynno fo ddim syniad pwy ydw i. Jest rhyw ddynes wedi parcio ar ochr y ffordd oeddwn i iddo fo.'

Pesychodd George ond ddywedodd o ddim byd.

'Ti'n siŵr o hynny. Jest bydd di'n ofalus, Delyth, efo'r camera 'na. Mi fydd y chwilfrydedd newyddiadurol ene'n dod yn ôl i dy frathu di,' meddai Guto, a'r tân yn ôl yn ei lygaid. 'Dydy'r bois yna ddim yn bobol neis. Ddim yn bobol capel.'

Roedd pawb wedi synnu at daerineb Guto. Roedd Mr Cŵl fel petai wedi colli ei cŵl am y tro.

'Be wyt ti'n feddwl y dylen ni wneud 'te?' holais i.

'Wn i ddim. Mae o fel y pla ar Ddyfed yn y Mabinogi, on'd ydy. Jest byddwch yn ofalus ddweda i.' Doedd fy atgofion i o'r hen hanes ddim yn rhy glir ond roedd y sylw yn taro deuddeg rywsut.

Bu George yn dawel drwy gydol y drafodaeth ond gwrandawai'n astud ar bob gair. Cadw ei eiriau ar gyfer ei bapur? Doedd ei ddiffyg cyfrannu ddim yn tycio rywsut.

Roedd yr arcêd ar gau y diwrnod wedyn tra daeth dyn o Manweb i drwsio'r bocs. Daeth y golau yn ôl fin nos i dderbyn cwsmeriaid hwyrol ond roedd diwrnod arall wedi'i golli. Roedd hi'n ddydd Sul erbyn i'r arcêd dderbyn cwsmeriaid eto ac roedden nhw'n llifo i mewn. Roedd glaw mân yn disgyn a niwl dros y traeth: tywydd perffaith i'r pyntars ddod am loches a gwagio rhywfaint ar eu pocedi ar y prom yn hytrach na lolian ar y tywod. Roeddwn i'n eistedd yn y bocs rhoi newid tua amser cinio, a Hilda wedi mynd i wneud paned, pan sylwais i ar bawb yn codi'n sydyn ac yn dianc i'r awyr agored. Dim ond ar ôl i mi godi o'm lloches yn y bocs y sylweddolais i beth oedd achos y rhuthr at y drws. Roedd arogl mwyaf dieflig wyau wedi pydru yn hongian yn yr awyr.

'Mae yna rywun wedi gollwng stinc bom yma,' meddai Alfie o'i bulpud.

'Be nesa?' medde fi. Roeddwn i'n cofio'r arogl o'r adeg pan ollyngodd rhywun un yn y coridor yn yr ysgol ryw dro. Doedd dim tystiolaeth pwy wnaeth; dim ond darnau bychan o wydr yn deilchion ar y llawr tu allan i ystafell y prifathro a hylif arogleuog o'i gwmpas. Doedd fawr o siawns gynnon ni o ddarganfod y dihiryn chwaith, er i ni ddarganfod ffynhonnell yr arogl ger un o'r bandits.

'Y Scammells eto?' meddai fi wrth Alfie.

'Nage, jest plant. Rhy neis i'r Scammells, ond yr un ydy'r effaith. Diawled bach!

Roedd hi'n hanner awr cyn i'r pyntars allu dychwelyd. Pa bla fyddai nesa? Wydden ni ddim. Digon tawel fu Alfie weddill y diwrnod. Roedd ei feddwl ymhell. Edrychai cerflun plastig Joe i lawr arnon ni â gwg. Roedd y pwysau'n cynyddu.

Pennod 11

Roedd y *Daily Post* yn cyrraedd tŷ ni yn gyson a Nhad yn ei ddarllen o glawr i glawr yn ddyddiol: pigion cyn mynd i'w waith, '*birth, marriages and deaths*', y penawdau a phytiau o'r tudalennau chwaraeon. Byddai'n mynd ati o ddifri i lowcio pob gair o'r gweddill fin nos. Rhyw daro i mewn rhwng y tudalennau nawr ac yn y man fyddwn i.

'Chi'n gyfarwydd â rhywun o'r enw George Owen sy'n sgwennu yn y papur yna?' gofynnais iddo fo un bore dros frecwast ac yntau a'i drwyn yn y papur yn cnoi ar ddarn o dost. Doedd cyfathrebu â Nhad yn y bore ddim yn hawdd.

'Dim ond darllen yr erthyglau fydda i,' meddai o. 'Fydda i ddim yn edrych pwy sgwennodd nhw. Beth bynnag, dydyn nhw ddim bob amser yn rhoi eu henwau. Pam wyt ti'n gofyn?' holodd wedyn a throi'r papur i lawr.

'Jest rhywun dw i'n nabod yn sgwennu i'r papur.'

'O,' meddai Nhad a chodi'r papur unwaith eto.

'Sut mae pethau'n mynd yn y job newydd yna?' holodd Mam.

'Eitha,' medde fi. 'Cwpwl o broblemau efo'r letrig, dyna'r cwbwl.'

Roedd fy rhieni'n gweithio yn ôl cyfundrefn o wybodaeth yn ôl yr hyn yr oedd angen ei wybod am fy hynt. Doedden nhw ddim am wybod gormod a finnau ddim am gyflwyno gormod iddyn nhw chwaith. Roedd y gyfundrefn yn gweithio'n iawn.

'Mae dy focs bwyd di wrth y stof,' meddai Mam. 'Fyddi di adre i swper heno?' holodd hi.

'Na fydda. Gweithio'n hwyr.'

'Wyt ti am i mi adael cinio i ti 'i dwymo ar sosban?'

'Na, mi fydda i wedi bwyta, 'swn i'n meddwl.'

'Dim gormod o hen sothach y prom yna, cofia.'

'Iawn, Mam,' medde fi. Gadewais yn fuan wedyn a'r bocs bwyd yn fy llaw.

Pan gyrhaeddais i'r gwaith roedd Alfie ar y ffôn. 'OK, I'll be there. Give me twenty minutes,' meddai a rhoi'r ffôn i lawr.

'Pwy oedd hwnna?' holais i.

'Maria,' meddai Alfie. 'Rhyw broblem efo polisi insiwrans Joe. Consuela mewn tipyn o stad. Fedri di wneud plwc ar y bingo bore 'ma? Mi fydda i 'nôl mhen rhyw awr. Mi fydd Hilda yma mewn munud.'

'Iawn,' medde fi ac mi aeth. Doeddwn i ddim yn hapus yn edrych ar ôl y siop ar fy mhen fy hun a doeddwn i ddim eto'n giamstar ar y meicroffon fel Alfie, ond doedd ymwelwyr ar eu gwyliau ddim yn codi'n rhy gynnar ac roedd y tywydd yn braf. Byddai'r traeth yn fwy o atyniad. Cawn dipyn o heddwch oddi wrthyn nhw.

Eisteddais wrth y ffôn yn y swyddfa gefn a chodi'r llyfr ffôn i chwilio am rif cyswllt y *Daily Post*. 'Jest o ran diddordeb,' meddyliais. 'Can I leave a message for one of your reporters, Mr George Owen. He works on the North Wales desk, I think,' medde fi pan atebwyd y ffôn.

'No one of that name here,' meddai'r ferch y pen arall. 'Maybe one of our freelancers. I'll ask.' meddai hi wedyn. Clywais hi'n galw ar draws y swyddfa. 'Anybody know someone working here called George Owen?' Bu tawelwch am eiliadau cyn iddi hi droi yn ôl i siarad â fi. 'No, sorry. Can't help, I'm afraid.'

'Never mind. Thanks anyway,' medde fi a rhoi'r ffôn i lawr.

Roeddwn i'n teimlo braidd yn snichlyd o fod wedi gwneud y fath beth, ond wedyn …

'Dydy pethau ddim yn mynd yn haws, ydyn nhw,' meddai Alfie ar ôl cyrraedd yn ôl. 'Y cwmni insiwrans ddim yn fodlon talu mewn achos o hunanladdiad.'

'Ond does yna ddim cwest wedi bod eto,' medde fi.

'Ond mae'r cwmni yn mynd yn ôl datganiad yr heddlu. O be

ddallta i, tipyn o fformaliti ydy'r cwest os nad ydy'r heddlu yn meddwl bod rhywbeth amheus am y farwolaeth.'

'Fedran nhw ddim gwneud hynny. *Mae* yna rywbeth amheus am y blydi farwolaeth.'

'Medran, medden nhw, yn ôl y llythyr gyrhaeddodd bore 'ma. Mi anfones i'r cais i mewn atyn nhw wythnos diwetha. Dw i a Maria wedi bod yn mynd trwy bapurau Joe. Un peth sy'n siŵr, doedd Joe ddim wedi paratoi i farw.'

'Sut wyt ti'n cael yr amser i wneud bob dim?'

'Dw i'n aros y nos yno weithie,' meddai Alfie yn ddigon cŵl.

'O,' medde fi. 'Dy fam yn OK am hynny?'

'Mae hi wedi arfer gwneud hebdda i pan dw i yn y coleg ac mi ydw i'n galw i wneud yn siŵr 'i bod hi'n iawn ar y ffordd i'r gwaith.'

'O,' medde fi eto, a holais i ddim mwy.

'Gobeithio cawn ni ddiwrnod bach tawel heddiw,' meddai Alfie cyn esgyn i'w bulpud i ddenu ei gwsmeriaid.

Bu'r diwrnod yn un go llewyrchus a'r arian yn llifo i'r coffrau. Tipyn o law ddechrau'r prynhawn a'r cwsmeriaid wedi heidio i mewn. Rhoddais elw'r diwrnod mewn bagiau yn yr ystafell gefn tra oedd Alfie yn cau'r drysau am y noson. Roedd dros gan punt i fynd i'r sêff y noson honno. Yn ôl ein harfer, gadawodd Alfie a fi drwy'r drws cefn ac edrych o'n cwmpas yn ofalus. Doedd neb i'w weld.

'Fyddi di'n iawn i fynd â'r pres i'r banc heno?' holodd Alfie. 'Well i mi fynd i weld sut mae pethe efo Consuela.'

'Dim problem,' medde fi wrth droi at y Mini. 'Mae'r banc drws nesa i le'r heddlu wedi'r cwbwl.' Rhoddais y bag wrth fy ochr ar y sedd flaen.

Dilynodd Alfie fi allan o'r gilfach a pheth o'r ffordd i'r dref. Canodd ei gorn arna i cyn troi i fynd dros y bont 'H'. Roedd Banc y Midland drws nesaf i swyddfa'r heddlu ar Ffordd Wellington, gyferbyn â'r llyfrgell – ac mae banc yno hyd heddiw. Roedd y stryd yn dawel. Tua deg y nos oedd hi. Stopiais y car gyferbyn â drôr y sêff nos a chodi'r bag i'w roi ynddo. Dyna'r cwbwl rydw i'n ei gofio tan i mi ddeffro yn eistedd ar fy nhin yn erbyn wal y banc a dwy ddynes yn sefyll uwch fy mhen yn holi a oeddwn i'n iawn. Roedd y bag pres wedi mynd.

'I saw them do it. They ran off down Bodfor Street,' meddai un ohonyn nhw. 'They got into a black car parked over there,' meddai hi a phwyntio dros y ffordd.

'Ford Corsair. My husband's got one,' meddai'r llall.

'There was two of them. They were both wearing masks,' meddai'r llall wrth i mi godi'n sigledig gan rwbio'r lwmp sylweddol oedd yn tyfu ar gefn fy mhen. Gwelais arwydd 'Police' ar y chwith i mi uwch fy mhen. Penderfynais mai syniad da fyddai talu ymweliad. Ddwedais i ddim mwy wrth y ddwy ddynes.

Clywais un yn dweud: 'Now there's gratitude for you,' wrth imi gerdded i ffwrdd.

Cerddais yn go simsan drwy ddrws swyddfa'r heddlu. Sarjant Lloyd oedd y tu ôl i'r ddesg.

'Ti yma eto,' meddai yn eithaf hwyliog cyn iddo sylweddoli nad oedd fy nghyflwr i'n gwarantu bod yn hwyliog. 'Be sy?'

'Rhywun wedi dwyn y tecins fel roeddwn i'n eu rhoi nhw yn y sêff yn y banc,' medde fi.

'Be? Drws nesa?'

'Ia.'

'Welest ti nhw?'

'Naddo, ond mae yna ddwy ddynes allan yn fan'ne wedi'u gweld nhw. Roedd yna ddau ohonyn nhw, medden nhw.'

'Eistedd di i lawr yn fan'ne, cyn i ti syrthio,' meddai'r sarjant a chodi o'r tu ôl i'r ddesg i fynd allan i chwilio am y ddwy ddynes. Dychwelodd o fewn munud. 'Dim sôn amdanyn nhw, hogyn. Ti bia'r car yna tu allan efo'r injan yn rhedeg a'r drws ar agor?'

'Ia.'

'Mi fydd raid i ti 'i symud o. Ti'n blocio'r traffig yn fan'ne.'

'Grêt,' meddyliais i. Doedd hwn ddim yn mynd i fod fawr o help.

'Ti'n OK?'

'Ydw.'

'Yli, symud y car a tyrd yn ôl, ac mi gymrwn ni stetment gen ti. Mi anfona i gwpwl o fois rownd i weld be welan nhw. Faswn i ddim yn dal fy ngwynt, cofia. Mi fyddan nhw wedi hen fynd erbyn rŵan. Oeddet ti'n nabod y ddwy ddynes yna?'

'Na. Fisitors oedden nhw, 'swn i feddwl.'

'Dydy hynny ddim lot o iws, ydy o?' meddai'r sarjant â blinder yn ei lais. 'Aros funud.' Agorodd y drws y tu ôl iddo a gweiddi, 'Anybody in CID to take a statement? A suspected mugging. A young bloke here says he's had his money taken.'

'Suspected?' meddyliais i. 'Faint o dystiolaeth oedd o isio?' Doedd y sylw am *young bloke* ddim yn argoeli'n rhy dda chwaith, gan fod *young blokes* byth a beunydd yn mynd i drafferthion rownd y dref yn yr haf a ddim yn haeddu cael gormod o sylw.

'No, Sarge,' daeth llais yn ôl. 'They're all out on that Cefndy Road job.'

'Anybody else?' holodd y sarjant eto.

Daeth Godfrey heibio a'i wynt yn ei ddwrn.

'Lle ti'n mynd?' holodd y sarjant.

'Rhyw gar wedi mynd i'r afon o'r cei wrth y Foryd.' Dilynwyd ef gan dri heddwas arall. Roedd hi'n amlwg nad oedd fy anghenion i'n mynd i fod yn flaenoriaeth. Clywais y seiren tanio yn pylu yn y pellter wedyn.

'Yli,' meddai'r sarjant. 'Fedri di aros plwc? Pethe braidd yn hectic yma, fel gweli di.'

'Mi ddo' i yn ôl yn y bore,' medde fi, yn dechrau digalonni.

'Mi fase hynny'n grêt,' meddai'r sarjant. 'Mi noda i'r digwyddiad yn y lòg. Ti'n iawn i fynd?'

Nodiais a chodi. Roeddwn i'n eithaf sad ar fy nhraed erbyn hyn er bod gen i dipyn o gur yn fy mhen, ond roedd y lle wedi stopio troi.

Penderfynais stopio yn y Bridge Club am beint. Byddai'r Vic yn cau yn fuan, a doeddwn i ddim am fynd adre eto. Ond gallwn aros yn y Bridge tan i Mam a Dad fynd i'w gwelyau. Mi fase Mam yn cael cathod bach o weld y lwmp ar gefn fy mhen i. Byddai hynny'n ormod o wybodaeth iddi.

Doedd neb roeddwn i'n ei adnabod yn y clwb pan gyrhaeddais i. Prynais beint ac eistedd yn y gornel i bendroni be oeddwn i'n mynd i'w ddweud wrth Alfie y bore wedyn gydag enillion diwrnod mor llewyrchus wedi mynd i ebargofiant. Roedd gen i lot o ddarnau jig-so i geisio'u rhoi at ei gilydd yn fy mhen, a finne ddim yn meddwl yn rhy strêt. Y drwg am y jig-so yma oedd fod fy llun i rywle yn ei ganol o ac roedd o'n codi llond twll o ofn arna i. Daeth 'Je t'aime' ar y jiwcbocs ac atgyfodi atgofion am Miriam i leddfu'r tywyllwch oedd yn casglu yn fy ymennydd, ond doedden nhw ddim i gyd yn atgofion melys.

Roedd hi'n bell wedi un ar ddeg pan feddylies i am adael. Daeth Godfrey i mewn am beint hwyrol ar ôl ei shifft. Welodd o mohono i i ddechrau ond codais fy llaw arno fo a daeth ata i.

'Ti wedi bod yng nghanol pethe eto, glywais i,' meddai. 'Ti'n olréit?'

'Ydw. Ond be gythrel sy'n digwydd, God? Mae rhywun – fi – wedi cael ei fygio ar garreg eich drws chi a lot o bres wedi cael ei ddwyn ac mae'r blydi Sarjant Lloyd yna'n deud wrtha i am ddod draw i roi stetment bore fory. Bore fory, myn diawl! Dw i'n gwybod yn iawn pwy wnaeth, a faswn i'n synnu'n fawr os nad ydech chi'n gwybod hefyd, ond does yna bygar ôl yn cael ei wneud amdanyn nhw.'

'Heb dystiolaeth, fedrwn ni wneud dim a does yna neb yn fodlon cario clecs arnyn nhw.'

'Ti'n canu o'r un llyfr emynau â'r blydi Chief yna,' medde fi.

'Yli, dal dy ddŵr, wnei di? Gair i gall gen i: paid â rhoi dy ben ar y bloc, a chadw dy drwyn allan o bethe.'

'Ond, Godfrey, mae mhen i ar y ffycin bloc yn barod a dw i ddim yn gwybod lle i droi, wir Dduw i chdi.'

'Doedd heno ddim y noson orau acw yn y stesion. Lot yn

digwydd ac mi yden ni'n gythreulig o *short staffed*. Mi sortiwn ni bethe yn y bore.'

'OK, OK,' medde fi'n flinedig ac edrych yn rhwystredig ar y llawr. Codais fy mhen wedyn ar ôl tipyn, 'Eniwe, be oedd wedi digwydd wrth bont y Foryd?'

'Ford Anglia wedi mynd i'r dŵr oddi ar y cei.'

'Rhywun ynddo fo?' holais i.

'Oedd. Rhyw ddynes ifanc. Yfflon o stad arni. Mi oedd y car wedi mynd â'i drwyn i mewn i'r mwd. Lwcus bod y llanw allan neu mi fase hi wedi boddi.'

'Ti'n gwybod pwy oedd hi?'

'Na. Roedd bois yr ambiwlans o'i chwmpas hi fel cacwn. Fedrwn i ddim gweld yn iawn. Mi gafodd y bois tân andros o job i'w chael hi allan ond mae hi wedi mynd i'r Alex rŵan. Roedd craen wedi cyrraedd i dynnu'r car allan pan adewais i gynne.'

Cysurais fy hun drwy feddwl bod lot o Ford Anglias ar hyd y lle.

Roeddwn i'n amau ond ddim am gredu. Y bore wedyn ces i gadarnhad. Roedd Mam a Dad wedi mynd allan cyn i mi godi. Roeddwn i'n gwneud cwpanaid o de i mi'n hun. Roedd y chwydd ar fy mhen wedi mynd i lawr a dim arwydd o'r chwildod gen i bellach. Roeddwn i'n ceisio meddwl be i'w wneud pan ganodd y ffôn. Guto oedd yno. Roedd o'n swnio fel tase fo wedi cynhyrfu drwyddo, yn anghyffredin iddo fo.

'Ti 'di clywed?' holodd.

'Clywed be?' medde fi.

'Am Delyth. Mae hi yn yr Alex. Wedi cael rhyw ddamwain ofnadwy neithiwr. Mae hi'n lwcus i fod yn fyw.'

'*Shit*,' medde fi. 'Be nesa? Ddim cyd-ddigwyddiad ydy hyn. Fetia i nad damwain gafodd hi. Wyt ti'n gwybod ar ba ward mae hi?'

'Dydy hi ddim ar ward, yn ôl ei mam. Mae hi mewn stafell ar ei phen ei hun.'

'Rhaid bod hi'n andros o sâl felly. Awn ni draw heno. Goda i di am saith. Mi wna i ddianc o'r arcêd. Mi fydd Alfie yn deall.'

Rhoddais y ffôn i lawr ac eistedd yn swp ar waelod y grisiau. Roedd y cymylau wedi troi'n ddrycin.

Pennod 12

'Sdim rhaid i ti ddeud, dw i'n gwybod yn barod,' meddai Alfie pan gyrhaeddais i drwy'r drws cefn i'r arcêd. Roedd o'n eistedd mewn cadair a'i feddwl ymhell. Roedd llythyr yn ei law. 'Godfrey wedi galw bore 'ma. Chwilio amdanat ti i wneud stetment. Ti'n olréit?' meddai wedyn heb godi ei ben.

'Ydw. Ddwedodd Godfrey bod y pres wedi mynd?'

'Do.'

'Welest ti nhw?'

'Naddo.'

'Syniad pwy?'

'Oes.'

'Pwy?'

'Y Scammells.'

'Syrpréis, syrpréis! Mae'r diawled yn troi'r sgriw yn ddistaw bach. 'Ti'n siŵr bo' ti'n olréit?' holodd Alfie a chodi ei ben ac edrych arna i am y tro cyntaf. 'Ti ddim yn edrych yn olréit. Be sy?'

'Delyth.'

'Be amdani?'

'Mae hi yn yr ysbyty. Wedi cael yfflon o ddamwain neithiwr. Ei char hi wedi mynd dros ymyl y cei i'r afon. Lwcus bod y llanw allan neu mi fase hi wedi boddi.'

'Ddwedodd Godfrey ddim byd.'

'Fase fo ddim. Doedd o ddim yn gwybod mai Delyth oedd hi.'

'Bastards!' ebychodd Alfie a dyrnu'r bwrdd. Roedd yr olwg hyderus roeddwn i wedi'i gweld yn ei lygaid ddyddiau ynghynt yn mynd. Roedd elfen o banig yn ei lais. 'Ti wedi clywed sut mae hi?' holodd wedyn.

'Ddim yn rhy dda, yn ôl Guto. Mi yden ni'n dau'n mynd i'w gweld hi heno.'

'Be gythrel oedd hi'n wneud yn fan'no? Damwain, myn diawl?'

'Yr hen drwyn newyddiadurol yna.'

'Ia. Y bastards!' ebychodd Alfie eto. 'Fetia i na welodd neb uffern o ddim byd chwaith.'

'Be gythrel sy'n digwydd, Alfie?' medde fi. 'Mae'r byd yma'n hollol wallgo. Mae'n un peth ar ôl y llall.'

'Ti'n dweud wrtha i, mêt! Mi ddaeth hwn cwpwl o ddyddie yn ôl. Wnes i ddim ei agor o tan heddiw. Llythyr wedi'i gyfeirio at Mexico Joe's Ltd. Mae Consuela am i mi agor bob dim rŵan.'

'Gan bwy?'

'Tomkins and Lawlor Solicitors, Lerpwl.'

'Be ma fo'n ddweud?'

'*Sorry to hear about the tragic death of Mr Jones, the proprietor*, bla-di-bla ... ac wedyn maen nhw mynd ymlaen i ddweud eu bod nhw'n cynrychioli Kelly Holdings a bod y cynnig o un deg saith mil a hanner ar y bwrdd o hyd. Maen nhw'n sôn am *Mr Jones reluctant to negotiate* ac yn gobeithio y bydd y weinyddiaeth newydd yn fwy *amenable to the generous offer*.'

'Pwy ydy'r weinyddiaeth newydd?'

'Fi.'

'Wel, mi wyddon ni fod Joe jest am fod yn boen yn y pen-ôl i Kelly Holdings am resymau hanesyddol. Does gen *ti* ddim hanes. Be wyt *ti* am 'i wneud?'

'Gwerthu, am wn i,' meddai Alfie a chodi ei ysgwyddau. 'Mi oeddwn i wedi meddwl eu dal nhw allan am bris uwch, ond mae'r wythnos yma wedi bod yn drychineb hollol. Fedra i ddim dal yn lot hirach. Doeddwn i ddim yn sylweddoli bod gan Joe forgej ar y lle yma ac mae'n rhaid talu hwnnw, ddim jest rŵan ond drwy'r gaeaf pan does yna ddim pres yn dod i mewn. Mae'r llythyr yn sôn bod tebygrwydd y gellir cael *compulsory purchase order* ar y lle hefyd gan fod y Cyngor i fewn yn y peth hefyd.'

'Sgwn i faint o gosi bol wnaethon nhw yn fan'no?'

'Swllt neu ddau wedi newid dwylo, greda i.'

'Be ydy'r cam nesa?'

'Mae'r llythyr yma'n dweud: *our representative will be calling to discuss matters with you.*'

'O,' medde fi a stopio i feddwl am ychydig. 'Israel Dafydd!' medde fi wedyn. 'Mae hyn yn swnio'n ddifrifol ar y diawl. Yli, cael cwpwl o beints, rhedeg ar ôl merched a cael rhyw fath o radd ddylen ni fod yn meddwl amdano fo, ddim meddwl am stwff o ddifri fel hyn.'

'Gwranda,' meddai Alfie ac edrych yn syth i'n llygaid i. 'Mi yden ni reit yn ei chanol hi. Does gynnon ni ddim dewis. Dw i ddim yn gachwr, a ti ddim yn gachwr chwaith. Mae gynnon ni stwff o ddifri i'w sortio. Falle bo' rhaid i ni dyfu ryw ychydig i'w gwneud nhw ond eu gwneud nhw wnawn ni, reit.'

'Dw i'n lecio'r ffordd wyt ti'n defnyddio'r "ni" yna,' medde fi.

Trawodd y sylw Alfie fel gordd ac roeddwn i'n difaru'n syth bìn. 'OK. Mi ydw i ar ben fy hun 'te,' meddai heb edrych arna i. 'Y cwbwl ydw isio ydy *backup* ac mi oeddwn i wedi gobeithio mai ti fase hwnnw.'

Doedd ein cyfeillgarwch erioed wedi bod dan brawf fel hyn o'r blaen. 'Doeddwn i ddim yn ei feddwl o fel hynny,' medde fi, a'n esgus i'n swnio'n hynod o wantan. 'Ti'n gwybod y medri di ddibynnu arna i.'

'Ti'n siŵr? Hollol siŵr.'

'Ydw,' medde fi, yn ceisio swnio yr un mor benderfynol, ond doedd dim cymaint o argyhoeddiad yn fy llais. Roeddwn i'n dechrau sylweddoli nad oedd sylwadau gwamal yn mynd i gael croeso gan Alfie bellach. Roedd y pwysau'n dechrau brathu.

Daeth cnoc ysgafn ar ddrws agored yr ystafell gefn i dorri'r tensiwn. Safai gŵr canol oed, eiddil yr olwg, mewn oferôl yno. Roedd bathodyn Photomaton ar ei frest. Roeddwn i'n ei adnabod o rywle ond wyddwn i ddim ble.

'Helô, Les,' meddai Alfie.

'Meddwl y base'r rhain o ddefnydd i chi oeddwn i,' meddai'r dyn a chynnig amlen frown i Alfie. 'Mi ddyle rhywun eu gweld nhw. Penderfyna di. Mi glywes i glec tu allan, y noson fu farw

Joe, ac mi dynnes i'r rhain. Mae arna i gymaint â hyn i Joe.' A gyda'r ychydig eiriau hynny, trodd ar ei sawdl a gadael.

'Les,' galwodd Alfie ar ei ôl, ond roedd y dyn wedi mynd.

'Pwy yfflon oedd hwnna,' holais i.

'Les o fyny grisiau. Neb byth yn ei weld o. Rioed wedi siarad efo fo o'r blaen. Wyddwn i ddim ei fod o'n siarad Cymraeg chwaith. Mi oedd o'n siarad efo Joe weithiau. Boi od ar y diawl, ond mae o'n talu ei rent fel watsh bob wythnos, yn ei adael o fan hyn ar y bwrdd. Yn ôl Joe, mae o'n gwneud lot efo'r gymdeithas hanes lleol yn tynnu lluniau iddyn nhw. Tipyn o foi camera. Y stwff i gyd gynno fo yn y fflat yna.'

'Dw i'n ei adnabod o rywsut. Wn i ddim sut.'

'Mi oedd o'n sefyll nesa atat ti yn yr angladd.'

'O ia!' medde fi. 'Agor yr amlen i ni weld,' medde fi wedyn braidd yn ddiamynedd â chwilfrydedd yn cael y gorau arna i.

Doedd yr amlen ddim wedi'i selio ac agorodd Alfie hi'n ofalus a thynnu dau lun ohoni. 'Blydi hel!' meddai Alfie cyn eu pasio nhw i mi.

'Blydi hel!' medde fi wedyn. Roedd y ddau lun du a gwyn o'r gilfach gefn y tu ôl i'r arcêd gyda char Joe yn amlwg â'r drws ar agor. Doedden nhw ddim yn eglur iawn gan nad oedd llawer o olau a doedd y ffaith eu bod nhw wedi'u tynnu trwy wydr ffenest a bod bariau'r ddihangfa dân yn y ffordd ddim yn help. Roedd yr haul wedi machlud a chysgodion yn y gilfach. Rhaid bod Les yn dipyn o feistr i gael llun o gwbwl. Yn y llun cyntaf roedd dyn yn pwyso i mewn i'r car a dyn arall yn sefyll gerllaw. Doedd dim posib gweld y tu mewn nac wynebau'r dynion. Yn yr ail roedden nhw'n amlwg yn dianc. Gellid gweld eu car wedi'i barcio yn y lôn gefn. 'Ford Corsair, myn diawl,' medde fi. Roedd siâp nodweddiadol tu blaen y car yn amlwg. 'Mae hyn yn newid popeth. Pam na ddangosodd y rhain i ni cyn hyn?'

'Ofn,' meddai Alfie. 'Pwy arall fase wedi gallu tynnu'r rhain?'

'Ia, am wn i. Mi a' i â nhw at yr heddlu rŵan pan ydw i'n mynd i wneud y stetment yna.'

'Na, wnei di ddim byd o'r fath,' meddai Alfie yn bendant. 'Mae gen i well defnydd iddyn nhw'n gynta.' Roedd penderfyniad yn ôl yn ei osgo.

*   *   *

Gwyddwn nad oedd yna fawr o bwynt gwneud y datganiad i'r heddlu am yr ymosodiad. Roedd pa drywydd bynnag ellid fod wedi'i ddilyn wedi hen oeri. Ceisiodd yr heddwas o CID ddangos rhywfaint o ddiddordeb a chydymdeimlad, ond gwyddwn mai yng nghategori'r dyn ifanc arall wedi cael ffrwgwd ar y stryd oeddwn i ac na fyddai fawr ddim yn cael ei wneud. Doedd dim pwynt sôn am fy amheuon am bwy oedd y drwgweithredwyr chwaith. Roedd ei eiriau wrth i mi adael braidd yn ystrydebol eu naws. 'Thanks for coming in. We'll look into it. Leave it with us.'

Roedd Godfrey ar y ddesg wrth i mi fynd allan. 'Yfflon o sioc am Delyth,' medde fo wrtha i. 'Ti wedi clywed sut mae hi?'

'Ddim yn dda, glywes i. Dw i a Guto'n mynd i'w gweld hi heno.'

'Be gythrel oedd hi'n wneud yn fan'no, dywed?'

'Tynnu lluniau ar gyfer y papur?'

'Rhaid bod hi heb osod y brêc yn iawn, neu rywbeth.'

'Falle wir,' medde fi, yn ddigon amwys.

'Sôn am dynnu lluniau, mae gen i lond bag o stwff o'r car yn fan hyn. Mi fedri di fynd â nhw iddi neu eu rhoi nhw i'w rhieni hi? Mae ei chamera hi yn y bag.'

'Iawn,' medde fi, a gadewais â'r bag yn fy llaw.

'Wela i di yn y Vic yn nes ymlaen?' holodd Godfrey wrth i mi fynd trwy'r drws.

Dyna pryd gwrddes i â George yn dod trwy'r drws y ffordd arall.

'Duw! Be ti'n wneud yn fa'ma?' medde fi. 'Ti'n gwybod am Delyth?'

'Ydw. Dyna pam dw i yma.'

'Stwff newyddiadurol?'

'Rhywbeth felly,' meddai George yn ddigon amwys.

'Ti wedi bod i'w gweld hi?' holais i.

'Na, ddim eto.'

'Ti'n mynd heno?'

'Falle.'

'Dyna cŵl am drallod ei gariad,' meddyliais i, ond ddwedais i ddim byd.

'Wela i di yn y Vic heno?'

'Falle. Sori, mae'n rhaid i mi fynd.'

'Deadline?' holais i.

'Rhywbeth felly,' atebodd George a diflannu i grombil swyddfa'r heddlu.

*   *   *

Roedd y camera yn un da, â lens telesgopig sylweddol. 'Sgwn i be all hwn ddeud wrthon ni?' medde fi wrth i ni chwilota trwy'r bag tuag amser cinio. 'Sut gallen ni gael datblygu be sy ynddo fo?'

'Les,' meddai ddau ohonon ni gyda'n gilydd.

'Fase ots gen Delyth, ti'n meddwl?' holodd Alfie.

'Dydy hi ddim yn swnio fel tase ots ganddi am ddim byd ar hyn o bryd,' medde fi. 'Pryd mae o adre o'i waith?'

'Tua chwech, dw i'n meddwl.'

'Awn ni i'w weld o? Fyddwn ni ddim gwaeth o ofyn.'

Ac felly y bu. Gyda Hilda yn edrych ar ôl pethau yn yr arcêd, dringodd y ddau ohonon ni risiau'r ddihangfa dân at ddrws Les a'i guro.

'Who's there?' daeth llais o'r tu mewn.

'Alfie o lawr grisie,' meddai Alfie.

Bu tawelwch am ychydig cyn i ni glywed sŵn bolltau'n agor y tu mewn a wyneb Les yn sbecian heibio'r drws. 'Be chi isio?' holodd.

'Chi wedi'n helpu ni unwaith. Meddwl oedden ni y basech chi'n fodlon gwneud ffafr arall â ni.'

'Fel be?'

'Difelopio be sy yn hwn,' meddai Alfie, a dangos y camera iddo fo.

Agorodd Les y drws dipyn mwy. 'Dewch i mewn,' meddai a sbecian rownd y drws tu allan ar ôl i ni ddod i mewn i'r fflat. Caeodd y drws ar ein holau a'i folltio, a sbecian wedyn drwy'r ffenest wrth ochr y drws ac edrychai allan ar y gilfach gefn. Gallwn weld yr un olygfa â honno oedd yn y lluniau a ddangosodd i ni gynnau.

Roedd ei lolfa fel ogof ddirgel â llyfrgell helaeth ar hyd un wal. Roedd desg â lamp arni wrth y ffenest yn wynebu tua'r môr. Roedd popeth yn ei le a phopeth yn destlus, â ffotograffau niferus ar y waliau. Am ryw reswm doeddwn i ddim wedi disgwyl diwylliant mor amlwg yno.

Derbyniodd Les y camera. 'Pentax,' meddai. 'Camera da. Chi bia hwn?'

'Nage,' meddai Alfie. 'Ffrind i ni. Meddwl falle fod 'na luniau diddorol ynddo fo fel roeddech chi wedi'u tynnu.'

Trodd Les y camera yn ei law yn fedrus wrth ddadansoddi ei wneuthuriad. 'Dydy'r ffilm ddim wedi gorffen,' meddai.

'Sdim ots am hynny,' meddai Alfie. 'Fedrwch chi helpu? Mi wnawn ni dalu os oes raid.'

'Dim angen pres. Dewch yn ôl wedi i chi gau'r arcêd. Gadewch hwn efo fi.'

'Iawn,' medden ni. Doedd dim sgwrs bellach i'w chael ganddo nac awgrym ei fod am i ni aros. Aeth drwy'r un palafar â'r bolltau wrth i ni adael.

Roedd yn rhaid i mi fynd i gasglu Guto i fynd i weld Delyth. Doeddwn i ddim yn edrych ymlaen.

*   *   *

Fues i erioed yn ffan mawr o ysbytai, ac mae Ysbyty'r Royal Alexandra yn rhannol gyfrifol am hynny. Adeilad herfeiddiol yr olwg o Oes Fictoria ar bromenâd y Rhyl oedd ac ydy'r Alex. Roedd arogl antiseptig yn treiddio i bob rhan ohono a'r coridorau hirion yn atseinio wrth i'r nyrsys yn eu ffedogau a'u hetiau gwynion gerdded ar eu hyd. Holais un ohonyn nhw am leoliad Delyth a chyfeiriodd hi fi a Guto at ystafell sengl ar gyrion ward Edith Vizard. Doedd Guto ddim yn mwynhau'r achlysur chwaith, ac roedd ei wyneb yn gwelwi wrth inni gerdded i lawr y coridor yn ôl y cyfarwyddyd. Roedd hi'n dipyn o sioc pan welson ni hi â phibellau'n dod ohoni, a hithau'n ddiymadferth yn y gwely a mwgwd ocsigen dros ei hwyneb, oedd yn drwch o gleisiau a briwiau. Roedd ei mam yn eistedd yn dawel ger y gwely. Clywais yr anadl yn dod o ysgyfaint Guto. Llwyddais i'w ddal cyn iddo ddisgyn yn swp i'r llawr a'i osod mewn cadair gyfagos. Roedd ei wyneb yn wyn fel y galchen a'i lygaid yn pefrio.

'Ti'n iawn?' holais i.

Nodiodd Guto ac eistedd yno'n tynnu ei anadl yn ddwfn.

'Ydy o'n iawn?' holodd mam Delyth heb godi. Roedd pethau pwysicach ganddi i ofalu amdanynt.

'Sioc, am wn i,' medde fi. 'Mae hyn yn dipyn o sioc i ni i gyd.' Roeddwn i'n ymbalfalu am rywbeth addas i'w ddweud. 'Be ydy ei hanes hi?'

'Wedi bod fel hyn ers y ddamwain. Mi fase hi'n falch eich bod chi wedi dod. Wn i ddim ydy hi'n ein clywed ni. Mae hi wedi torri rhai o'i hasennau ac mae un o'r rheini wedi mynd trwy ei hysgyfaint. Mae hi wedi torri ei choes hefyd, heb sôn am y niwed i'w hwyneb hi ar ôl iddi fynd trwy ffenest flaen y car.'

'Be ddywedodd y doctor?' holais.

'Fedrwn ni wneud dim byd ond aros. Dw i wedi bod yma drwy'r dydd ond does dim newid wedi bod. Arhoswch chi yma efo hi, fechgyn, er mwyn i mi fynd am awyr iach. Galwch fi os oes unrhyw arwydd ei bod hi'n dadebru.' Cofleidiais hi wrth iddi adael yr ystafell. Roedd ei hwyneb hithau'n ddigon gwelw a chochni yn ei llygaid. 'Dw i'n falch eich bod chi wedi dod,' meddai. Roedd briwiau ei hunig ferch yn ei brifo hithau.

'George wedi bod yma?' holais.

'Pwy ydy George?' holodd hi.

'Neb sbesial. Un o'n ffrindiau ni.'

'O,' meddai hi, a'n gadael.

Eisteddais wrth erchwyn y gwely ond doedd dim ymateb oddi wrth Delyth. Wyddwn i ddim a oedd o'n addas i mi gydio yn ei llaw hi, ond mi wnes i. Ddaeth dim ymateb o'i bysedd. Roedden nhw'n oer ac yn llwydaidd. Yr unig arwydd o fywyd ynddi oedd ymchwydd ei brest wrth iddi anadlu. 'Mi wnawn i'n iawn am hyn,' medde fi. Fedrwn i feddwl am ddim amgenach i'w ddweud.

Clywais Guto yn codi y tu ôl i mi a sŵn ei draed yn brysio i lawr y coridor.

Ar ôl ychydig, es innau allan ar ei ôl a'i weld yn eistedd ar fainc ger y drws ffrynt. 'Roeddwn i'n dechrau woblan eto. Roedd yn rhaid i mi fynd,' meddai.

'Doedd dim lot o bwynt aros. Wyddai hi ddim ein bod ni yno, dw i ddim yn meddwl. Pwy ddwedodd, "Don't get mad, get even", dywed?'

'Bobby Kennedy,' meddai Guto.

'Dyna ddylen ni ei wneud,' medde fi.

Gadewais Guto. Roedd Alfie yn fy nisgwyl i 'nôl.

*   *   *

Roedd hi'n naw o'r gloch erbyn i ni gau ar ôl i mi ddod yn ôl o'r ysbyty, yn gynharach nag arfer ond roedd pethau'n dawel. Roedd rhyw hanner can punt yn barod i fynd i'r banc. Cloiodd Alfie'r drws cefn. Edrychon ni o'n cwmpas yn ôl ein harfer. Doedd neb o gwmpas. Cerddodd y ddau ohonon ni i fyny'r grisiau tân at ddrws Les a churo. Aeth Les drwy'r un palafar o ddadfolltio'r amryw gloeau ac yna fe'n harweiniodd i sanctwm mewnol ei ystafell dywyll â thranglings ffotograffiaeth a'r baddonau bychain o hylif datblygu ffilm. Roedd y stribedi o ffilm yn hongian. 'Maen nhw wedi sychu,' meddai Les. 'Caewch y drws. Pa rai ydech chi am eu gweld gynta?'

'Y rhai ola gafodd eu tynnu, greda i,' medde fi.

Dewisodd Les un o'r stribedi a thorri dau sgwâr ohono.

Gosododd un o'r sgwariau yn y peiriant chwyddo. 'Cau'r drws,' meddai. Caewyd y drws. Trodd switsh a boddwyd y lle mewn golau coch.

Roedd hi'n amlwg fod Les yn rêl boi efo'r pethau ffotograffiaeth yma ac yn mwynhau sôn am lot o bethau technegol wrth weithio, ond doeddwn i'n deall fawr ddim o beth ddwedodd o. Tynnodd ddarn o bapur o focs a'i osod yn ofalus dan y chwyddwr a gwasgu botwm i oleuo'r lamp.

'Darn go fawr, dw i'n meddwl. Rhaid i ni aros rhyw ddeg eiliad,' meddai. 'Ac awn ni â fo i fan acw i weld be ddaw.' Tynnodd y darn, a edrychai'n blaen i bob pwrpas, o'r chwyddwr, ei osod mewn baddon bychan o hylif a'i siglo yn ôl a blaen yn ofalus. Fel y siglai'r hylif, daeth y llun yn fwyfwy amlwg yng ngolau coch yr ystafell.

'Hwn oedd y llun cyn yr un ola ar y ril,' meddai Les.

Gellid gweld dau ddyn yn siarad: un yn fawr o gorffolaeth a'r llall yn llai. Roedd hi'n amlwg mai ar y cei y tynnwyd y llun gan fod hwylbren i'w gweld yn y cefndir a chorff un cwch ar y lan lle roedd Delyth yn amlwg wedi cuddio'i char, yn hynod o bell o erchwyn y cei yn ôl pob golwg.

''Cin 'el,' medde fi. 'Dw i'n nabod hwnna. Parry blydi Huws, myn diawl, a'r Lenny yna ydy'r llall. Be am y llun arall?'

Gosododd Les y sgwâr bychan yn y chwyddwr a mynd trwy'r un broses, ac arhoson ni'n ddisgwylgar tra slochiodd y papur yn ôl a blaen yn y bath o hylif. 'Hwn oedd y llun diwetha oedd wedi'i dynnu ar y ril,' meddai Les.

Roedd y llun braidd yn aneglur ac wedi'i dynnu trwy ffenest ôl y Ford Anglia a'r ffaith fod y ffenest honno'n gogwyddo yn ôl ddim yn help, ond gellid gweld cerbyd yn y ffenest a hwnnw'n edrych yn hynod o debyg i Land Rover, yn ôl ei siâp.

'Ddim damwain gafodd hi,' meddai Alfie. 'Mae'r bastard yna wedi'i gwthio hi dros y dibyn i mewn i'r cei.'

Roedd y llun yn rhy aneglur i weld pwy oedd wrth y llyw.

'Fetia i mai'r Ploryn oedd tu ôl i'r olwyn yna.'

'Gawn ni gadw'r rhain?' gofynnais i Les.

'Chi bia nhw. Arhoswch iddyn nhw sychu a gewch chi fynd â nhw,' meddai. 'Mi wna i ddatblygu'r lleill i chi. Dyma'ch camera chi. Dw i wedi rhoi ffilm glân ynddo fo.'

'Peint?' gofynnais i Alfie wrth i ni fynd i lawr grisiau'r ddihangfa dân a'r amlen yn cynnwys y lluniau dan fy nghesail.

'Ia, mae gynnon ni lot i'w drafod.'

Clywais y bolltau'n cau ar ein holau. 'Be mae'r rheina'n ei wneud?' holais i wedyn, yn cyfeirio at ddau foi ar gefn beiciau modur yn y lôn tu ôl i'r arcêd.

'Dyna'n seciwriti ni,' meddai Alfie. 'Wedi'u trefnu nhw efo Seth ar ôl y shinanigans 'ne gest ti.'

Cododd Alfie ei fawd ar y ddau a chwifiodd y ddau yn ôl.

Dilynodd y ddau gar Alfie at y banc a'i wylio'n gollwng y bag i'r seff. Rhuodd y ddau i lawr Ffordd Wellington wedyn a chodi bawd wrth fynd. Ddwedon nhw yr un gair.

Dim ond Guto oedd yn y Vic yn ein haros yn y Vic. Roedd y lliw wedi dod yn ôl i'w fochau ond roedd ei wep yn brudd.

'Est ti yn ôl i weld Delyth wedyn?' holais i.

'Mi dries i. Mi wnes i gyfarfod ei mam hi ar y ffor' yn ôl i mewn. Wedi ypsetio'n lân. Chawn i ddim mynd at Delyth.'

'Pam?'

'Mi oedd hi wedi cael *pneumothorax* neu rywbeth. Aer yn gollwng o'r ysgyfaint i'w chorff hi, yn ôl ei mam. Yfflon o beryg!'

'Roedd y doctoried efo hi a chawn i ddim mynd ati. Mi arhoses i am blwc tu allan.'

'Ydy hi'n olréit?' holodd Alfie.

'Yn dal ar dir y byw ond ddim ond jest, yn ôl y doctor. Mi ddaeth o allan i siarad efo'i mam hi. Mae Delyth yn dal mewn coma. Mi oedden nhw wedi gorfod gwneud twll yn ei brest hi i adael yr aer allan gan fod yr aer tu mewn yn stopio'i chalon hi. Mi wnaethon nhw hynny jest mewn pryd, o be ddallta i.'

'*Shit!*' meddai Alfie.

Doedd yr un ohonon ni isio ymddangos yn rhy emosiynol ond roedd cyflwr Delyth yn ein brathu at yr asgwrn.

'Mi oeddwn i'n gwybod y base'r hen drwyn newyddiadurol yna'n ei chael hi i drwbwl,' meddai Guto yn chwyrn. Roedd ffyrnigrwydd anghyfarwydd yn ei lais. Bryd hynny y sylweddolais i gymaint o eilun oedd Delyth iddo.

'Be fedren ni ei wneud?' medde fi. 'Roedd hi'n hollol benstiff.'

'Oedd,' meddai Guto. 'Allwn ni wneud dim byd rŵan, dim ond aros.'

'Mi fedrwn ni wneud tipyn mwy na hynny,' meddai Alfie yn eithaf cryptig. Roedd gwythïen galed yn y sylw.

Y bore wedyn y daethon nhw. Roedd Alfie yn iawn. Gwelais i'r Corsair yn parcio tu allan mewn da bryd. Roeddwn i'n sefyll yno'n cael tipyn o haul.

'Faint ohonyn nhw sy?' holodd Alfie o'i bulpud bingo. Roedd ar fin dechrau denu pobl at ei allor.

'Jest dau, o be wela i,' medde fi.

'Cer i'r cefn a ffonia. Jest *backup*, ddim y trŵps i gyd. Fydd dim lot ar gael yr adeg yma o'r bore,' meddai Alfie wedyn. Mi wyddwn i'n iawn pwy i ffonio ac mi es.

Seth atebodd.

'Dim angen y cafalri. Jest presenoldeb,' medde fi.

'Deg munud?' daeth yr ateb.

'OK,' medde fi ac aeth y ffôn yn farw.

Mi ddes i allan o'r ystafell gefn a sefyll dan wyneb plastig Joe yn gwgu ar bawb o'r nenfwd.

Llwybreiddiodd Lenny a'r Ploryn drwy'r arcêd yn fawr eu gorchest fel tasen nhw'n berchen y lle.

Arhosodd Alfie yn ei uchelfan yn eu gwylio, a wal y paneli bingo'n warcheidiol o'i gwmpas. Roedd ei feicroffon ganddo yn ei law. Siaradodd drwyddo.

'Good morning. Mr Lenny Scammell and Mr Ross Scammell, I believe.' Roedd y sŵn wedi'i droi i'r eithaf a'i lais yn atseinio drwy'r lle, ac i lawr y prom o ran hynny. 'Glad you could come.'

Roedd y croeso'n dipyn o sioc iddyn nhw oherwydd uchder y sain a beiddgarwch ymarweddiad Alfie. 'Take a seat,' meddai wedyn, ac er mawr syndod i mi, fe wnaethon nhw, wrth y paneli bingo, ac Alfie yn edrych i lawr arnyn nhw. 'What can I do for you?'

Roeddwn i'n cyfri'r munudau cyn i'r *backup* gyrraedd. Trodd y Ploryn rownd a gwenu arna i, a daeth atgofion braidd yn anfelys amdano i mhen ond daliais fy nŵr a gwenu'n ôl. Trodd yn ôl i edrych at Alfie. Teimlais ryw fuddugoliaeth fechan yn y ffaith mai fo droiodd ei olygon gyntaf. Clywais ru moto-beic yn y pellter yn dod ar hyd y prom. Cerddais i sefyll ger pulpud Alfie. Roeddwn i'n meddwl y dylwn i arddangos rhywfaint o solidariti yn y sefyllfa.

'We come in peace, Kemosabe,' meddai Lenny, yn codi ei law yn null Tonto yn y Lone Ranger. 'Heard you have been having a few problems,' meddai wedyn, yn hollol cŵl.

'A few,' meddai Alfie.

'Silly, silly. If Joe had only been sensible, you could have avoided all that.'

'Yes, yes, we know,' meddai Alfie braidd yn ddilornus. 'Let's cut to the chase, shall we? I'm sure we can come to some sort of understanding.'

'I'm very glad to hear it,' ymatebodd Lenny.

Cododd Alfie ei law fel petai am i Lenny dewi.

'The floor is yours,' meddai Lenny yn hynod ffurfiol, fel 'taen nhw mewn cyfarfod o bwyllgor blaenoriaid.

'I would like to set up a meeting,' parhaodd Alfie. 'My negotiating position has improved of late and I think we should talk. We've some very interesting pictures.'

'What of?' Roedd Lenny wedi'i daro oddi ar ei echel rywfaint.

'You, and your brother.'

'Doing what?'

'Lots of things.'

'Like what?'

'Stuff that would put you away for a long time.'

'You're bluffing?'

'Try me.' Roeddwn i'n synnu pa mor cŵl oedd Alfie. 'You a gambling man?' holodd wedyn.

'What yous getting at?'

'I want to deal, not with you. I want to speak to the head honcho, you know what I mean. Somebody who is in a position to negotiate.'

'I don't know who you're talking about,' ymatebodd Lenny a golwg ddiniwed ar ei wyneb.'

'Just tell him. Tell him I'll sell, but on my terms. Look Lenny,' meddai Alfie, bron yn dadol ei ffordd. 'You don't want the peanuts you could get from me. I'm out of here. Your work is done. You want to be in the big time. This is your big chance. Think of it this way; you've won.' Roedd tôn llais Alfie yn hollol hyderus a phositif. Bryd hynny daeth i lawr o'i bulpud ac edrych yn syth i wyneb y corrach. Sgyrnygodd y Ploryn. 'And if you and your murderous brother ever think about coming back here again, you'll be strung up by your balls with a bicycle chain,' meddai Alfie â'r wên fwyaf ffals welais i erioed.

'What, by *you*?' meddai Lenny gan chwerthin.

'No, by *him*,' meddai Alfie, a phwyntio ar gorpws sylweddol Seth yn ei lifrai lledr oedd wedi dod a thywyllu rhywfaint ar fynedfa'r arcêd. Roedd beicar arall mewn helmed yn sefyll wrth ei ochr. Allwn i ddim gweld yr wyneb.

Edrychodd Lenny ar Seth ac yn ôl ar Alfie a gwenu. Rhoddodd ei law allan ar frest y Ploryn, oedd ar fin neidio dros y wal bingo. Safodd hwnnw yr ochr draw i'r ffin a rhythu. Daliodd Alfie ei dir. 'OK,' meddai Lenny a chodi. 'Come on, Snoz,' meddai eto, a throdd y ddau i gyfeiriad y drws. Wrth gerdded, trodd i edrych unwaith eto. 'I don't forget, sonny,' ychwanegodd.

'Click, click,' meddai Alfie yn gellweirus ar eu holau a gwneud arwydd tynnu llun wrth i'r ddau gerdded yn dalog heibio i Seth a'r beicar arall oedd yn sefyll yn ddi-syfl yno o hyd. Safodd Alfie a minnau yn stond. Roeddwn i'n teimlo rhyw fath o fuddugoliaeth unwaith eto.

Diosgodd y beicar anhysbys ei het ac ysgydwodd Lisa o'r Dudley ei phen i ryddhau ei gwallt. Cododd Alfie ei fawd arnyn nhw. Cododd Seth ei fawd yn ôl ac ymadawodd y ddau heb frys na braw, a diflannodd eu beiciau swnllyd i lawr y prom.

'Blydi hel, dyna dy berfformans gorau di erioed,' medde fi wrth Alfie. 'Mi oedd hynna'n cymryd gyts.'

'Wn i. Wn i ddim o ble daeth y gyts yna chwaith,' meddai Alfie. 'Ond mi oedd ennill yn teimlo'n andros o dda, on'd oedd?'

'Ti'n meddwl y daw o?'

'Pwy?'

'Parry-Huws.'

'Wn i ddim. Gawn ni weld. Ond mi yden ni wedi corddi'r dyfroedd yn go lew, on'd do?'

Pennod 13

Y noson wedyn, tua wyth o'r gloch, aeth popeth yn wallgo ar hyd y prom â seirens yr heddlu yn sgrechian i bob man. Rhedais allan i weld beth oedd achos y sŵn i gyd. Roedd wal y môr yn ddigon agos ac es ati. Oddi yno gallwn weld dros aber yr afon at Drwyn Horton â'i harbwr a golau machlud diwedd Awst yn ddigon o lewyrch. Roedd y llanw yn uchel a chwch eithaf sylweddol wedi dod i mewn arno ac wedi'i glymu wrth y wal. Roeddwn i'n synnu y gallai cwch mor fawr ddod i mewn i harbwr mor fychan. Gallwn weld pobl yn rhedeg o gwmpas yr harbwr a'r felin lifio, a hefyd ar fwrdd y cwch. Clywais beth dybiwn oedd sŵn gwn yn cael ei danio – tua phum clec i gyd. Gwelais un person yn neidio o fwrdd y llong yn ei ddillad ac yn stryffaglio yn y dŵr wedyn. Yn amlwg, doedd o ddim yn nofiwr hyderus iawn. Gallwn weld nifer o blismyn yn ei ddilyn ar hyd y lan yr ochr draw i'r afon wrth iddo geisio nofio yn erbyn y llanw, oedd ar drai erbyn hyn ac yn ei sgubo allan i'r môr. Roedd yn fflangellu'n wyllt wrth geisio cyrraedd y mur tenau sy'n hebrwng yr afon i'r dŵr hallt. Erbyn hyn roedd torf wedi ymgasglu ar wal y prom i wylio'r sioe ac yn edrych yn gegrwth ar y digwyddiadau, ac ambell un yn clicio'i Brownie 127 i groniclo'r achlysur. 'This'll be worth a few bob to the Echo,' meddai un. Roedd un o'r plismyn, oedd yn edrych yn hynod o debyg i Godfrey, yn ceisio rhydio'n betrus ar draws yr afon yn ei ddillad ond roedd y gŵr yn rhy bell oddi wrtho a bu'n rhaid iddo ddychwelyd i ddiogelwch dŵr bas.

Rhaid bod criw bad achub newydd y Rhyl wedi bod ar wyliadwriaeth. Chlywais i mo glec y roced oedd fel arfer yn cael ei thanio i hysbysu'r morwyr fod eu hangen ac y dylen nhw heidio i dŷ'r bad. Roedden nhw'n awyddus i arddangos yr *Har-Lil* i'r cyhoedd a daeth hi ffwl pelt am y filltir drwy'r dŵr at yr aber.

Roedd y dyn yn y dŵr yn amlwg yn blino gyda phob strôc, a llif yr afon yn gwrthod gadael iddo gyffwrdd y wal ac yn ei lusgo fwyfwy i ddyfroedd dyfnach. 'Quick, quick,' gwaeddodd y dorf ond peidiodd fflangellu ei freichiau wrth i'r bad achub anelu'n ddramatig tuag ato, yn unol â chyfarwyddyd y plismyn ar y lan. Erbyn i'r bad ei gyrraedd, roedd y dyn i'w weld yn gorwedd ar ei fol yn ddisymud yn y dŵr. Aeth dau ddyn cyhyrog i lawr ato a'i lusgo'n ddiseremoni gerfydd ei wegil i mewn i'r bad, a'r dorf yn curo'i dwylo'n frwdfrydig, yn fwy mewn gobaith nag o ryddhad. Doedd fawr o siawns i'r creadur, er y gellid gweld un o ddynion y bad achub yn pwmpio'i frest wrth i'r cwch droi'n ôl i gyfeiriad y môr. Byddai claf arall i ysbyty'r Alex cyn bo hir.

Cyrhaeddodd dwy fan Maria Ddu a llwythwyd nifer o ddynion i mewn iddyn nhw. Tawelodd pethau rywfaint ar y cei ar ôl hynny, heblaw fod nifer o blismyn fel petaen nhw'n ymgasglu o amgylch drws warws y felin lifio. Roedd gan y dorf olygfa ddi-dor dros yr afon ac roedd ei sylw wedi'i hoelio ar y cythrwfwl. 'They're after someone in that shed,' meddai un sylwedydd. 'Look, they've got guns too. It's like something from the films. Do they put a show like this on every week? I thought this sort of thing only happened in Kirby,' ychwanegodd yn ei acen Sgows dew.

Daeth dyn mewn lifrai plismon du i sefyll o flaen y drws a chorn meicroffon yn ei law. 'We've got the place surrounded, Ross. Give yourself up,' meddai. Gallen ni glywed ei eiriau'n glir dros y dŵr. Roedd o'n edrych yn hynod debyg i'r Rasel i mi ond roedd hi'n anodd dweud. 'Be sy nesa yn sgript y ffilm yma?' meddyliais i.

Yn sydyn ffrwydrodd y drysau'n agored a hyrddiodd Land Rover drwyddyn nhw a mynd yn syth am y plismon â'r meicroffon. Neidiodd hwnnw o'r ffordd, ond cael a chael oedd hi. Gwelwyd y plismyn yn tanio'u gynnau ond trodd y Land Rover mewn cwmwl o lwch a thywod a phlannu i mewn i grŵp o blismyn oedd yn sefyll ger mynedfa'r felin lifio. Neidiodd y rhelyw o'r ffordd ond gellid gweld un yn cael ei daflu i'r awyr dros fonet y cerbyd gwyllt a glanio'n swp ar y llawr. Rhuthrodd pawb i roi ymgeledd iddo. Roedd dau gar wedi'u parcio ar draws y fynedfa a hyrddiodd y Land Rover tuag atyn nhw. Gellid clywed clec y gwrthdrawiad a gwthiwyd y ddau gar o'r ffordd. Yna, gellid gweld y Land Rover yn mynd heibio Tafarn y Ferry ac yn troi'n ôl dros Bont y Foryd i gyfeiriad y dref. Roedd ceir yn sgrialu i bob cyfeiriad i'w osgoi a sŵn cyrn yn mynegi dicter at y fath wylltineb. O fewn munud roedd un o geir yr heddlu wedi hyrddio dros y bont â'i seiren yn sgrechian, ond roedd y Ploryn wedi dianc i rywle ar strydoedd cefn y Rhyl.

Wedi i bethau ddistewi ar ymyl y cei, troais yn ôl at yr arcêd. Ychydig oedd y rhai oedd am wario, â bwrlwm y noson yn fyw yn eu meddyliau. Wrth imi groesi'r ffordd aeth car heddlu heibio; roeddwn i'n adnabod un o'r teithwyr. Welodd o mohono i.

'Welwn i mo Lenny a'i ffrindiau am blwc, greda i,' medde fi wrth Alfie, oedd heb gael sedd ganolog i'r sioe fel fi. Cefais gyfle i adrodd y stori wrtho wedyn. 'Dw i'n meddwl bod y bastard Ploryn yna wedi cael get-awê, cofia. Be sy fwya od,' medde fi ar ddiwedd fy nhruth, 'ydy fod George yn un o geir yr heddlu aeth heibio ar y prom. Go brin fod ganddo fo ddigon o ddylanwad i gael sedd flaen ar gyfer ei stori.'

'Mae gen i syniad,' meddai Alfie a diflannu i'r ystafell gefn. Bu yno am ryw ddeg munud.

'Be oedd y syniad?' medde fi wedi iddo ddychwelyd.

'Dw i wedi bod ar y ffôn.'

'Efo pwy?'

'Seth,' meddai Alfie heb ronyn o emosiwn yn ei lais.

Yn y Bridge roedden ni wedi cytuno i ymgasglu'r noson honno. Bydden ni'n rhy hwyr ar gyfer y Vic. Roedd Guto yno yn ein haros i roi'r bwletin diweddaraf am Delyth.

'Sut mae hi?' holon ni.

'Yr un fath,' atebodd a'i wep yn brudd.

Yn sydyn daeth tua deg o ddynion, rhai mewn dillad

plismyn, drwy'r drws a disgynnodd awyrgylch o ddathlu ar y clwb. Doedd eu hacenion nhw ddim yn lleol. Roedd Godfrey yn eu plith. Daeth aton ni.

'O ble mae'r rheina wedi dod?' holais i.

'O Gaer rhan fwya,' meddai Godfrey. 'Maen nhw ar eu ffordd adre.'

'Wel, be 'di'r hanes 'te?' holais i wedyn.

'Wedi dal y bastards i gyd, bron.'

'Pwy?' holais i.

'Y Scammells. Mi oedden ni wedi bod yn chwilio am achos go iawn i'w cipio nhw am rywbeth ers tro ond doedd dim byd allen ni ei wneud. Allen ni brofi dim byd. Rŵan mae gynnon ni rywbeth i'r CPS gael ei ddannedd ynddo fo. Llond cwch o gyffurie, y capten a'r criw, Scott Scammell, un o'r tri brawd, a lot o strabs eraill dan glo. Wedi mynd â nhw i Gaer. Dim digon o le yn y stesion fan hyn. Diwrnod go lew, greda i, heblaw am y ffaith fod un o'n bois ni wedi torri ei ddwy goes, ond mi fydd o'n OK o be glywes i.'

'Be oeddet ti'n feddwl efo'r "bron" yna?' gofynnais.

'Ross Scammell wedi dianc i rywle yn y dre 'ma. Mi blastiodd o i mewn i grŵp o blismyn wrth dorri ei ffordd allan. Mi ddown ni o hyd iddo fo. Eith o ddim yn bell. Mae hanner y ffôrs yn chwilio amdano fo.'

'Be am Lenny Scammell?'

'Mi neidiodd o i'r afon yn trio dianc. Wedi boddi.'

'Bechod!' meddai Alfie â gwên.

'Ti oedd wedi mynd ar ei ôl o i'r afon,' holais Godfrey.

'Ia. Sut wyt ti'n gwybod?'

'Roeddwn i'n gwylio o'r prom.'

'Doedd o ddim yn medru nofio, o be welwn i. Fedra innau ddim chwaith. Mi oedden ni wedi gobeithio dod o hyd i lwyth arall o gyffurie wedi'u storio, ond dim lwc. Yr un pryd ag roedd yr operation yn digwydd yn y Foryd, mi oedd yna ddau grŵp arall wrthi: un yn lle'r Scammells yn Nhremeirchion a'r llall yn chwilota drwy swyddfa'r tacsis ar Kinmel Street, ond dim byd.'

Dyna pryd y trodd y golau ymlaen yn fy mhen i. 'Triwch warws Rhyl Ents,' medde fi.

'Be wnaeth i ti awgrymu hynny?' holodd Godfrey.

'Mi oedd Parry-Huws, bòs Rhyl Ents, a'r Scammells wedi gweithio'n go agos efo'i gilydd. Wn i gymaint â hynny.'

'Oes gen ti brawf?'

'Dim ond i mi weld Lenny Scammell efo fo yn y warws un tro pan oeddwn i'n gweithio yno. Mae gynnon ni rywbeth arall hefyd. Alfie, ydy'r lluniau yna gen ti?'

'Yden,' atebodd Alfie. Tynnodd amlen o boced ei siaced a'i chyflwyno i Godfrey braidd yn anfoddog.

'Rargien Dafydd,' meddai Godfrey, ar ôl taflu golwg dros y lluniau. 'Pwy dynnodd y rhain?'

'Les o'r fflat i fyny'r grisiau o'r arcêd dynnodd y ddau yna,' medde fi, yn cyfeirio at y lluniau o gar Joe yn y gilfach. 'Delyth dynnodd y ddau lun arall. Roedden nhw yn y camera roist ti i mi i'w roi yn ôl iddi. Maen nhw'n gwneud twll mawr yn y syniad mai lladd ei hun wnaeth Joe ac mai damwain gafodd Delyth.'

'Well i mi gadw'r rhain. Lle mae'r warws yma?' holodd Godfrey.

'Westbourne Avenue,' medde fi.

Gadawodd ni a mynd i blith rhai o'r plismyn oedd wrth y bar. Gadawodd carfan fechan ohonyn nhw yn fuan wedyn.

'Be oeddet ti'n meddwl 'i wneud efo'r llunie yna?' gofynnais.

'Bargeinio,' meddai Alfie.

'Efo Parry-Huws?'

'Ia, ond mae hi'n rhy hwyr rŵan. Fydd o ddim ar gael i wneud yr un fargen efo neb.'

'Be, blacmelio'r diawl?'

'Rhywbeth felly. Busnes ydy busnes wedi'r cwbwl,' meddai Alfie a chodi ei ysgwyddau. 'Beth bynnag, doeddwn i ddim yn trystio'r Rasel yna chwaith. Mi oeddwn i'n meddwl y base'r lluniau wedi mynd i ffeil yn rhywle. Dw i'n dal ddim yn trystio'r diawl.'

Wnes i ddim ymateb.

Jest cyn cau y daeth George i mewn y noson honno. Dim ond y tri ohonon ni oedd ar ôl yn eistedd wrth y bar, ac ar fin troi am adre ein hunain a'n pennau ni'n chwyrlïo yn sgil digwyddiadau'r diwrnod. Eisteddodd ar stôl wrth fy ochr i. Doeddwn i ddim yn siŵr a oeddwn i'n falch o'i weld o. Roedd o'n ymddangos braidd yn ansicr yn dod yno heb fod yng nghwmni Delyth.

'Ti wedi bod i'w gweld hi?' holais i.

'Do, ond ddim heddiw,' atebodd George. 'Es i yno ond roedd ei mam a'i thad hi yno. Es i ddim i mewn. Ddim y lle i gyflwyno'n hun.'

'Ti fawr o gariad, yn nac wyt,' medde fi, braidd yn sarrug.

'Be ti'n feddwl?'

'Wel, os wyt ti a Delyth yn eitem …'

'Wn i. Wedi bod yn brysur.'

'Yn brysur yn gwneud be? Ti ddim mwy o riportar i'r *Daily Post* na fi, yn nac wyt.'

'Nachdw,' atebodd George. Roeddwn i'n synnu at ei ateb diamwys.

'Wel, be wyt ti 'te?' holais i.

'Plismon,' meddai George. 'Wel, ddim plismon yn union,' ychwanegodd.

'Blydi hel, rhyw fath o James Bond neu rywbeth?'

'Ddim cweit.'

'Ti wedi bod yn eistedd efo ni, yn gwrando ar bob gair roedden ni'n ddweud, felly.'

'Do. Mi ges i lot o wybodaeth drwyddoch chi.'

'Croeso,' medde fi'n goeglyd.

'Os wyt ti ddim yn blismon go iawn, i bwy gythrel wyt ti'n gweithio?'

'Cyllid a Thollau.'

'O.' Stopiais i ystyried y datguddiad ac edrych yn syth ato fo. 'Oedd Delyth yn gwybod?'

'Nac oedd.'

'O,' medde fi eto.

'Dod yma i ddweud wrthoch chi wnes i, a fydda i ddim o gwmpas ar ôl heno. Rhyw fath o ddiolch oeddwn i am wneud.'

'Dw i ddim yn deall. Tria roi rhyw fath o eglurhad fyddwn ni'n ei goelio,' meddai Guto, oedd yn sicr ddim am roi amser cyfforddus i George er ei fod wedi cyfaddef ei dwyll.

'Ylwch,' meddai George. 'Fedrwn i ddim gadael y gath o'r cwd tan rŵan, ddim tan i'r *operation* fod drosodd. Mae yna un fawr wedi bod yn y Rhyl yma heno, rhyngddon ni a'r heddlu.'

'Ni wedi clywed yn barod,' meddai Alfie. 'Ond dydech chi ddim wedi'u dal nhw i gyd, naddo.'

'Naddo, ond fe ddaw.'

'Mi oeddet ti'n gwybod trwy'r adeg bod amheuon am farwolaeth Joe yn cael eu gwthio dan y carped, on'd oeddet ti?'

'Oeddwn. Ond tase'r Scammells wedi'u sbwcio, mi fase'n cynlluniau ni'n deilchion. Hapus rŵan?

'Na, ddim cweit. Be am Delyth?' holodd Guto eto. 'Ti'n mynd a'i gadael hi, jest fel yna?'

'Mi fydda i mewn cysylltiad.'

'Blydi hel! Mewn cysylltiad, wir Dduw?' meddai Guto. 'Roeddwn i'n meddwl bo' chi'n rhyw fath o eitem.'

'Nac oedden,' meddai George yn bendant. 'Mi oedd Delyth am i ni fod, ond doeddwn i ddim. Mi gawson ni dipyn o ffrae am y peth. Mi oedd raid i mi ddweud wrthi yn y diwedd. Roedd o'n dipyn o sioc iddi, a siom.'

'Dweud be?' holodd Guto.

'Dydw i ddim wedi dweud wrth lot o bobol ond mi ydech chi'n ddynion o'r byd modern, felly mi ddweda i wrthoch chi.' Oedodd am eiliad cyn mynd ymlaen. 'Mi fase gen i fwy o ddiddordeb ynoch chi'ch tri nag oedd gen i yn Delyth.'

'Be ti'n feddwl?' holodd Guto. Rhoddais gic ddichellgar iddo. 'O …' meddai wedyn, a'r geiniog yn cymryd yn hir iawn i ddisgyn. Doedden ni ddim yn gwybod beth i'w ddweud ac edrychodd y tri ohonon ni'n gegrwth arno. Roedd gwirioneddau newydd y byd yn cael eu datgelu i ni a'r cen yn disgyn o'n llygaid. Roedd hwn yn gyfaddefiad mawr ym 1969.

'Popeth yn iawn efo ni,' medde fi, yn ceisio torri'r distawrwydd. 'Ddim ein bod ni'n batio'r ffor' yna, os wyt ti'n deall.' Ces innau gic ddichellgar gan Alfie yn fy nhro.

Torrodd gwên lydan ar wyneb George. 'Popeth yn iawn 'te,' meddai a chodi. 'Edrychwch ar ôl Delyth a pheidiwch â mynd i ddweud wrth bawb o bobol y byd am hyn, na wnewch.'

'Dim peryg o gwbwl,' medde fi.

Diflannodd George drwy ddrws y clwb i'r nos.

'Who was that man?' holodd Guto.

'That was the Lone Ranger,' meddai Alfie.

Welson ni mo George wedyn.

Pennod 14

Bu'r diwrnod wedyn yn un go brysur, yn ôl Godfrey. Roedd yr heddlu yn aros i Don ddod i'w waith; cyrhaeddodd am wyth o'r gloch ar y dot, fel arfer. Wnaeth o mo'u siomi nhw. Roedd Godfrey yn un ohonyn nhw.

'Can I help you?' meddai Don wrth y ddau blismon mewn dillad cyffredin ddaeth drwy'r drws. Roedd un arall mewn lifrai tu ôl iddyn nhw gyda sbaniel ar dennyn. Dangosodd y plismon ei gerdyn gwarant i Don.

'We have a warrant to search the premises, just sit tight and let us carry on,' meddai, a *sit tight* wnaeth Don mewn sioc, â threfn normal ei fywyd wedi ei lwyr ddinistio'n sydyn. 'You're not going to make a mess, are you?' meddai.

'Not if we can help it,' meddai'r plismon, a gollwng y ci yn rhydd yn y warws.

'You can't do that, there's food here,' protestiodd Don.

Wnaeth o ddim gwahaniaeth. Roedd y ci'n chwilota ym mhob twll a chornel o'r lle gyda'r plismyn yn ei ddilyn.

'What's behind this door?' meddai un o'r plismyn wrth Don, ar ôl darganfod drws wedi'i gloi tua chefn y warws.

'Nothing much, just stuff I keep for Mr Parry-Huws. He asked me to keep it safe.'

'Open it, please,' meddai'r plismon.

Dewisodd Don un o'r allweddi niferus ar ei ddesg ac agor y drws. Rhuthrodd y sbaniel i mewn ac aeth yn wyllt gyferbyn â nifer o focsys oedd ar silff yno, gan snwffian yn ffyrnig ac ysgwyd ei gynffon. Aeth yr heddwas i'w boced a rhoi'r bêl iddo'n wobr. Roedd ei waith wedi'i wneud. Tynnodd y plismon gyllell o'i boced a hollti'r selotep ar ben un o'r bocsys. 'Bingo,' meddai, a chodi'r bwndel bychan oedd y tu mewn a'i ddangos i Godfrey.

'Good call, Constable Jones, good call,' meddai'r plismon. 'What happens with this stuff?' gofynnodd y plismon i Don.

'A taxi driver, John Pots they call him, comes here to pick some up now and again,' atebodd Don yn ufudd. 'They call him that 'cos of the registration of his car, I think – POT.'

Trodd y plismon at Godfrey. 'You couldn't make it up, could you?' meddai.

Edrychodd Don yn hurt arnyn nhw heb ddeall yr eironi.

'I think you'd better come with us,' meddai'r plismon.

'But what about the deliveries?' holodd Don. Roedd ei fyd wedi'i droi wyneb i waered.

Cafodd Don ei ryddhau o'r ddalfa yn hwyrach yn y prynhawn. Bu prinder mawr yn siopau *chips* y prom y diwrnod hwnnw.

*   *   *

Tua'r un adeg, aeth carfan arall o blismyn heibio tŷ Parry-Huws, yn ôl Godfrey, a chnocio ar y drws. Roedd y Rasel efo nhw; wedi'r cwbl, doedd hi ddim yn rhy bell iddo fo gyrraedd o'r drws nesaf.

'Helô, Edith,' meddai. 'Emlyn i mewn?'

'Chi'n gwybod so fe 'ma. So'i gar e 'ma. Ma' fe wedi hen fynd ers neithiwr. Ddwedodd e 'run gair wrtho i. Jest wedi gwagio'r seff a mynd. Daeth galwad ffôn gan rywun yn hwyr neithiwr.'

'Chi'n gwybod i ble?' gofynnodd y Chief.

'So fi'n gwpod a so fi'n ceran chwaith,' dyna beth ddywedodd hi. 'Mae lle 'da ni yn Ffrainc, ger Bergerac. Gallech chi fynd i chwilio yn y fan honno. So fi wedi bod yno ond ma' fe wedi. Mae rhyw fenyw 'da fe, fi'n meddwl. So i'n gwpod beth ma' hi'n weld yno fe ond mae arian yn gwneud dyn yn fwy secsi, medden nhw. Chi'n gwybod digon am 'ny, Mr Roberts, on'd y'ch chi.'

Bu tipyn o hwyl ymhlith to ifanc yr heddlu am y sylw hwnnw.

*   *   *

Roedd y fferi o Portsmouth i Caen wedi gadael erbyn i heddlu lleol De Lloegr glywed am y posibilrwydd fod Parry-Huws yn un o'r teithwyr arni gyda'i Jag. Roedd pob porthladd wedi cael galwad. Cafodd dipyn o sioc, yn ôl pob sôn, pan gyfarfu *gendarmes* o Interpol ag o wrth i'r cwch lanio, a'i hebrwng yn ôl arno cyn iddo roi ei droed ar dir Ffrainc. Roedd croeso cynnes iddo pan gyrhaeddodd swyddfa'r heddlu yn y Rhyl, a nifer o ddihirod eraill iddo rannu cell â nhw.

*   *   *

Y Corys roedden ni'n galw'r lle, sef y Coronation Gardens, a rhoi eu teitl swyddogol iddyn nhw. Dyna lle roedd Mr McKillop, ceidwad y meysydd chwarae, yn ein dwrdio ers talwm os meiddien ni reidio ein beiciau ar y tir sanctaidd. Mae lôn goediog go hir yn arwain at y giât fetel enfawr oedd yn cael ei chloi bob nos a reilings o gwmpas gweddill y parc i gadw'r cyhoedd allan fin nos. Does dim tai yn arbennig o agos chwaith. Ar y giât honno y darganfuwyd y Ploryn a'i ddwy law wedi'u clymu'n sownd i'r bariau fel petai wedi'i groeshoelio. Roedd ei ben wedi'i osod yn daclus rhwng dwy reilen ac roedd rhaff arall rownd ei wddw. Roedd y rhaff honno'n ddigon i'w gadw ar ei draed, ond pan ddaeth un o wardeniaid y parc ar ei draws yn y bore, roedd llygaid Ross Scammell yn pefrio yn ei ben, ei geg yn llydan agored, ei dafod yn hongian a'r ploryn yn amlycach nag erioed ar ei drwyn. Roedd ei gorff wedi oeri ac arogl cryf o betrol ar ei ddillad. Gallai'r dirgelwch ynghylch pwy oedd y taniwr fynd i'r ffeil. Ni fu ei farwolaeth yn sydyn nac yn ddi-boen. Fyddai dim galaru ar ei ôl, na rhyw lawer o chwilota am y llofrudd.

*   *   *

Y bore hwnnw daeth yr alwad i'r tŷ. 'Alfie – i ti,' meddai Mam a throsglwyddo'r ffôn i mi. 'Paid anghofio dy focs bwyd ar fwrdd y gegin,' meddai hi wedyn cyn gadael, a minnau newydd ddod i lawr y grisiau. Doedd dim rhaid i mi godi'n gynnar i fynd i'r gwaith.

'Well i ti ddod draw,' meddai Alfie ar ben arall y ffôn.

'Pam?' medde fi.

'Jest tyrd draw ASAP. Gei di weld,' atebodd Alfie a rhoi'r ffôn i lawr. Roedd o'n swnio fel tase fo mewn ciosg.

Roeddwn i yno mewn chwarter awr, ond allwn i ddim mynd yn agos at y lle. Doedd dim cerbydau'n cael mynd ar y prom. Felly, roedd raid i mi barcio mewn stryd gefn a cherdded. Daeth y rheswm am hyn yn glir wrth i mi ddod rownd y gornel ar y prom. Roedd yr arcêd yn dal i sefyll ond roedd ôl mwg yn staeniau duon o'r ffenestri. Roedd dynion y frigâd dân wrthi'n rholio'u pibellau a gwaith y tair injan dân oedd wedi ateb yr alwad wedi dod i ben. Roedd plismyn yn cadw'r dorf fechan o ymwelwyr oedd wedi ymgasglu dros y ffordd rhag dod yn rhy agos. Roedd ambiwlans yno hefyd, a dau ddyn ambiwlans yn sefyll y tu allan iddo. Chawn i ddim mynd yn agos chwaith i ddechrau, ond gwelais Alfie yn siarad ag uwch-swyddog tân. Gwaeddais arno ac amneidiodd Alfie a'r uwch-swyddog arnaf i fynd atyn nhw a gadawodd y plismon fi drwodd.

'Be gythrel?' medde fi.

'Rhyw ddiawl wedi tollti llond can o betrol drwy'r blwch post neithiwr a rhoi matsien iddo fo. Mi fedri di weld staen y petrol ar y llawr o flaen lle roedd y drysau ffrynt pren. Mae'r achos yn ddigon amlwg, yn ôl y bois tân.'

''Cin 'el!' medde fi. 'Be am Les?' holais i wedyn.

Ysgydwodd Alfie ei ben. 'Maen nhw'n aros i ddod â fo allan rŵan. Llawr y fflat wedi mynd. Doedd gynno fo ddim siawns.'

'Be am y ddihangfa dân yn y cefn? Mi fase fo wedi medru dianc i lawr honno.'

'Mae'n rhaid i chi ei chyrraedd cyn i'r mwg eich dal chi, a tasech chi'n cysgu fasech chi'n gwybod dim byd. Roedd yna rywbeth mawr plastig yn llosgi tu mewn. Mwg tocsig uffernol,' meddai'r swyddog. Gwyddwn yn iawn mai cerflun Joe oedd hwnnw. 'Chawn ni mono fo allan heddiw. Mi fydd yng nghanol y bawiach y tu mewn yn rhywle. Mi yden ni wedi bod i fyny'r grisie yn y cefn ond roedd y drws wedi'i gloi. Roedd raid i ni falu'r drws i fynd trwyddo fo, ond doedd dim llawr yr ochr draw.'

''Cin 'el, y creadur druan,' medde fi. 'Ydy Consuela'n gwybod?' holais i Alfie.

'Ydy,' meddai. 'Mi oeddwn i yno neithiwr efo Maria pan ddaeth yr alwad ffôn. Hanner awr wedi tri bore 'ma. Diolch i'r drefn bod Maria yno efo hi rŵan.'

'Mae hyn yn chwythu twll mawr yn y cynlluniau i werthu'r lle i'r Kellys yna,' medde fi.

'Faswn i ddim mor siŵr,' meddai llais o'r tu ôl i ni. Troesom a gweld gŵr mewn siwt, oedd yn hynod wahanol i weddill y bobol oedd wedi dod i wylio'r prysurdeb. Roedd yn edrych fel cyfreithiwr o'i gorun i'w sawdl.

'Harold Williams o Tomkins and Lawlor Solicitors, Lerpwl,' meddai a chynnig ei law i ni. 'Dw i yma ar ran Kelly Holdings. Dw i'n meddwl eich bod chi wedi bod yn fy nisgwyl i. Ydw, mi ydw i'n siarad Cymraeg – un o Gymry Lerpwl, prifddinas gogledd Cymru. Chi sy'n edrych ar ôl pethau yma?' gofynnodd i mi.

'Nage, y dyn yma,' medde fi, a chyfeirio at Alfie. Dyma'r tro cyntaf i mi gyfeirio ato fel dyn.

'Well i ni gael gair 'te,' meddai'r cyfreithiwr siwtiog. 'Ddim dyma'r adeg orau, mi wn, ond, ar y llaw arall, efallai ei fod o.'

'Ti ydy'r bòs,' medde fi wrth Alfie, a chyfeirio'r ddau i gyfeiriad un o'r seddau gorffwys ar y prom – ddim y swyddfa fwyaf moethus. Gadewais i nhw i drin materion busnes. Dyna lle bu'r ddau yn trafod am ryw chwarter awr ac ysgwyd llaw wedyn cyn i'r cyfreithiwr ddiflannu i blith torf y promenâd.

'Wel? Be ddwedodd o?' holais i.

'Mae'r cynnig yn aros. Tynnu'r lle i lawr ydy bwriad y Kellys. Isio'r safle maen nhw, ddim yr adeilad. Mi wnes i gytuno i rannu be bynnag gawn ni drwy'r inswrans efo nhw.'

'Rargien, mae hwnne'n swnio'n ddêl a hanner. Oes insiwrans ar y lle?'

'Oes. Dw i wedi gweld y ddogfen ac wedi gwneud un taliad misol.'

'Wnân nhw dalu os cân' nhw wybod mai llosgi bwriadol oedd achos y tân?'

'Gwnân, yn ei ôl o. Os dôn nhw o hyd i'r llosgwr mi fydd popeth yn iawn, a'u bod nhw'n siŵr nad ni wnaeth.'

Erbyn hyn roedd dynion y Cyngor wedi cyrraedd i godi clawdd diogelwch o flaen yr adeilad. Roedd un injan dân yn dal i chwistrellu dŵr yn ysbeidiol. Stêm yn hytrach na mwg oedd yn codi o'r marwydos bellach. Roedd meddwl am Les yn eu canol yn amlwg yn brifo Alfie.

'Be taswn i ddim wedi …?' meddai.

'Be taset ti ddim wedi be?' medde fi.

'Taswn i ddim wedi sôn am y llunie …'

'Paid,' medde fi. 'Jest paid.'

*   *   *

Dim ond fi oedd yno i'w gweld hi. Roeddwn i'n teimlo'n eithaf chwithig wrth fynd i mewn, yn trio meddwl sut i ymddwyn efo rhywun diymadferth: be i'w ddweud, neu efallai ddweud dim. Roedd Delyth yn gorwedd yn union fel roedd hi y tro diwethaf y gwelais i hi, ond roedd llai o bibellau'n cysylltu â hi erbyn hyn. Roedd ei phen wedi'i godi ar glustogau a'i llygaid ynghau, ei dwy fraich yn llipa ar gwrlid y gwely a'i bysedd yr un mor llwydaidd ag oedden nhw o'r blaen. Tynnais stôl ac eistedd wrth ochr y gwely. Mentrais gydio yn ei llaw. Er mawr syndod i mi, gwasgodd fy llaw, agor ei llygaid ac edrych yn syth tuag ata i.

'Paid â bod mor slopi,' sibrydodd â rhyw hanner gwên.

'Blydi hel!' medde fi. 'Ti wedi deffro. Sut wyt ti'n teimlo?'

'Ffantastig!' sibrydodd hi eto a hanner cau ei llygaid drachefn.

'Ers pryd wyt ti wedi dod rownd?'

'Ddoe, dw i'n meddwl,' meddai hi. 'Lle ydech chi wedi bod?'

Roedd ei geiriau'n llafurus ond roedd yna eiriau. Roedd ei chrebwyll yn ôl.

'Yn brysur,' medde fi.

'Dwêd dy hanes. Mae hi'n gythreulig o boring i mewn fan hyn yn edrych ar y to.' Roedd ei synnwyr digrifwch caled yn ôl hefyd.

'Ti wedi colli'r hwyl i gyd. Efallai gei di'r Pulitzer ar ôl i mi ddeud y stori i gyd wrthat ti.'

Cododd ei gwefus â hanner gwên sardonig.

'Wyt ti'n cofio be ddigwyddodd i ti?'

'Affliw o ddim. Dweda di.'

Mi gafodd hi'r hanes i gyd.

Diwedd

Roedd hi'n dipyn o sioc i Nhad pan ddwedais mod i'n mynd i'r capel efo nhw. Doedd dim job gen i bellach ar ôl i'r arcêd fynd ar dân, felly doedd dim esgus, ond roedd yr awydd i fynd yn deillio'n fwy o chwilfrydedd nag o sêl grefyddol.

Roedd y capel yn go lew o lawn, o ystyried bod nifer o'r gynulleidfa ar eu gwyliau yn unrhyw le heblaw'r Rhyl. Roedd bwlch amlwg yn sedd Emlyn Parry-Huws, ac absenoldeb ei gorpws eang yn creu gwagle sylweddol, ond feiddiai neb lenwi'r twll hwnnw. Roedd y Chief yno mewn sedd gyfagos, yn dalsyth fel arfer. Wnaeth o ddim edrych arna i unwaith tan iddo ddod rownd efo'r plât casgliad, pan edrychodd yn syth i'n wyneb i. Roedd y llygaid yn oer fel llygaid siarc o hyd. Adeg y cyhoeddiadau, cafwyd gair yn hysbysu pawb fod Delyth yn gwella'n raddol ar ôl ei damwain ond doedd dim siawns o gwbwl o ddymuno'n dda i Mr Parry-Huws ar ei gyfnod yn y carchar, er y soniwyd am y cyngerdd oedd i'w gynnal i ddathlu atgyweirio'r organ. Roedd digwyddiadau'r ochr draw yn dal i fod mor bell ag erioed. Roeddwn i'n hanner ddisgwyl rhyw sylw gan y Rasel wedi'r oedfa ond diflannodd o'r cyntedd yn reit sydyn; wedi'r cwbwl, roedd byd y capel a'r byd tu allan mewn dau fydysawd gwahanol. Erbyn hyn, roeddwn i'n dechrau deall hynny.

A beth am gymeriadau drama haf 1969?

Aeth Guto'n ddarlithydd athroniaeth ym mhrifysgol Keele ar ôl cwblhau ei ddoethuriaeth. Priododd a chael llwyth o blant gyda'i wraig, Nesta. Dychwelodd y ddau i fyw yn Sir Fôn ar ôl ymddeol ac mae o yno heddiw. Bu hi farw'n ddiweddar o gancr. Mae Guto mor cŵl ag erioed, cofiwch, a gwn fod cornel fechan yn ei galon o hyd i Delyth.

Daeth hi dros y ddamwain yn eithaf llwyddiannus er bod ganddi ychydig o gloffni wedi hynny. Aeth hi'n ysgrifennydd personol i aelod seneddol yn Nhŷ'r Cyffredin. Bu carwriaeth, er ei fod dipyn yn hŷn na hi; priododd y ddau a bu un ferch yn sgil y berthynas. Mae'r ddau wedi hen ysgaru bellach. Aeth hi i weithio ar yr *Evening Standard* wedyn a chafodd yrfa ddisglair yno, ac yn Llundain mae hi'n byw byth. Phriododd hi ddim wedyn. Mae hi a Guto wedi dod yn fwy clòs yn ddiweddar. Pa mor glòs? Faswn i byth yn meiddio gofyn.

Aeth Alfie ddim yn ôl i'r coleg. Arhosodd i drefnu diwedd y busnes i Consuela. Roedd Maria yn atyniad hefyd. Talodd y cwmni yswiriant bywyd yn llawn iddi yn y diwedd, ar ôl i'r crwner roi dedfryd o ladd anghyfreithlon ar farwolaeth Joe. Bu'n rhaid i mi ddod yn ôl o'r coleg i'r cwest i dystio. Gwerthwyd yr arcêd, neu beth oedd ar ôl ohoni, i'r Kellys a chwblhawyd y ddêl ar gyfer yr arcêds eraill. Talodd y cwmni yswiriant, y London and Lancashire, yn llawn hefyd i ailadeiladu ar ôl darganfod pwy oedd y llosgwr tybiedig. Yn anffodus i'r Kellys ond yn ffodus iawn i Consuela ac Alfie, aethon nhw'n fethdalwyr yn fuan wedi hynny a soniwyd yr un gair am y cytundeb i dalu hanner yr yswiriant i'w coffrau. Aeth y datblygiad newydd i ebargofiant. Roedden ni wastad yn dweud bod Alfie fel cath, bob amser yn glanio ar ei draed. Gwerthwyd asedau Kelly Holdings am brisiau rhesymol iawn i adfer peth o'u colledion, a gallai Alfie fforddio prynu eu heiddo drws nesaf ar y prom â'i gyfalaf newydd. Adeiladodd fusnes llewyrchus yno ac adnewyddu arcêd Mexico Joe. Os digwydd i chi fynd heibio'r lle, mae dwy fricsen yn y wal o hyd, un â'r geiriau:

Er cof am
Clwyd Owen Jones
y Cojones Celtaidd

ac ar y llall:

Bu Alfie'n ddigon craff i werthu cyn i atyniadau Benidorm a Majorca sugno cwsmeriaid y Rhyl i'w haul cyson, rhad. Pan fyddwn ni'n cael seiat flynyddol tua dechrau mis Rhagfyr mae'n cyrraedd mewn car hynod newydd a smart bob tro. Buddsoddodd mewn gwestai moethus mewn partneriaeth â Maria a gwnaeth y ddau eu ffortiwn. Mi gawson nhw dri o blant. Maen nhw'n byw mewn tŷ crand yng Ngwespyr erbyn hyn ond mae Maria braidd yn fusgrell a methedig; wedi'r cwbwl, roedd hi'n dipyn hŷn na fo. Roedden ni bob amser yn tynnu ei goes mai *toy boy* oedd o. Mae Alfie yn dda iawn efo hi, yn ôl pob sôn. Cafodd Mastiff job ganddo yn un o'i arcêds newydd; i'r dim, i'w dynnu o feudwyaeth ei fflat. Doedd rhoi newid ddim y job fwyaf diddorol yn y byd, ond roedd o allan o leiaf.

Dychwelodd Consuela i Fecsico, a chredwch neu beidio roedd Edith Parry-Huws yn ymwelydd blynyddol yno ar ôl mynd ati'n ddygn i ddysgu Sbaeneg mewn ysgol nos. Clywais yn ddiweddar y bu'r dwy farw ryw saith mlynedd wedyn mewn damwain car tra oedd hi ar wyliau yn Tijuana, dipyn cyn i Parry-Huws ddod o'r carchar. Rhyw fath o gyfeillion mewn adfyd.

Cymerodd y Rasel ymddeoliad cynnar o'r heddlu yn fuan ar ôl 1969. Does neb yn siŵr ai gadael yn wirfoddol wnaeth o, ond cafodd waith yn ymgynghorydd seciwriti yn Torremolinos neu rywle tebyg. Dilynodd ei gariad ar ei ôl gyda'r Alfa Romeo. Yno y bu farw, rai blynyddoedd yn ôl. Roedd ei brofiad o blismona mewn tref wyliau gyffelyb yn amlwg yn gaffaeliad iddo yn y swydd.

Am leoliad ein seiat: mae maes parcio lle safai'r Vic a warws lle safai'r Bridge Club. Byddwn yn cyfarfod yn y Cob and Pen, sef tafarn yng nghysgod y bont, nid nepell o'r orsaf drenau. Daw Godfrey aton ni yn gyson. Newidiodd y dafarn ei henw i gael gwared ar draddodiad y Dudley. Am Seth: chwrddais i mohono fo ar ôl haf 1969. Wn i ddim be faswn i wedi'i ddweud wrtho fo taswn i wedi'i weld: diolch neu be?

Amdana i? Wel, yn ôl yn y brifysgol ddiwedd yr haf, derbyniais lythyr, gan Miriam. Efallai na fyddai'r haf yn hollol hesb wedi'r cwbwl.

11/12/2019